CB034575

DESPERTAR COM DEUS

JACKIE
HILL
PERRY

DESPERTAR COM DEUS

60 DEVOCIONAIS DIÁRIOS

Traduzido por Susana Klassen

Os textos das referências bíblicas foram extraídos da *Nova Versão Transformadora* (NVT), da Editora Mundo Cristão (usado com permissão da Tyndale House Publishers), salvo indicação específica.

CIP-Brasil. Catalogação na publicação
Sindicato Nacional dos Editores de Livros, RJ

P547d

Perry, Jackie Hill
Despertar com Deus : 60 devocionais diários / Jackie Hill Perry ; tradução Susana Klassen. - 1. ed. - São Paulo : Mundo Cristão, 2024.
192 p.

Tradução de: Upon waking : 60 daily reflections to discover ourselves and the God we were made for
ISBN 978-65-5988-315-8

1. Literatura devocional. 2. Devoções diárias. I. Klassen, Susana. II. Título.

24-91352 CDD: 242
CDU: 27-583

Gabriela Faray Ferreira Lopes - Bibliotecária - CRB-7/6643

Categoria: Devocional
1ª edição: junho de 2024

Edição
Daniel Faria

Revisão
Ana Luiza Ferreira

Produção
Felipe Marques

Diagramação
Gabrielli Casseta

Capa
Jonatas Belan

Publicado no Brasil com todos os direitos reservados por:

Editora Mundo Cristão
Rua Antônio Carlos Tacconi, 69
São Paulo, SP, Brasil
CEP 04810-020
Telefone: (11) 2127-4147
www.mundocristao.com.br

Para todos os santos que me ensinaram
a reservar meu primeiro "bom dia" para Deus.

AGRADECIMENTOS

Equipe Wartrace

Os santos da B&H

Austin e nem

1. A soma da verdadeira sabedoria, a saber, o conhecimento de Deus e de nós mesmos. Efeitos deste último.
2. Efeitos do conhecimento de Deus na humilhação de nosso orgulho, na revelação de nossa hipocrisia, na demonstração das perfeições absolutas de Deus e de nossa total impotência.

Quem, desse modo, não descansa, enquanto, desconhecido de si mesmo, fica satisfeito com seus dotes e não tem consciência de sua miséria ou não atenta para ela? Todos, portanto, ao conhecer a si mesmos, não apenas são impelidos a buscar Deus, mas também são conduzidos como que pela mão a encontrá-lo. [...]

Enquanto não lançamos o olhar além da terra, permanecemos bastante satisfeitos com nossa própria justiça, sabedoria e virtude; falamos de nós mesmos com os termos mais elogiosos e nos consideramos pouco menos que semideuses. Caso, porém, comecemos a elevar os pensamentos para Deus e refletir a respeito de quem ele é e de quão absoluta é a perfeição de sua justiça, sabedoria e virtude, às quais, como padrão, devemos nos conformar, aquilo que outrora nos dava prazer com sua falsa aparência de justiça se mostrará poluído com a maior iniquidade.

João Calvino, *Institutas da Religião Cristã*, Livro 1, Capítulo 1

INTRODUÇÃO

DEVOCIONÁRIOS NUNCA FORAM minha praia. Sim, eu sei que é uma forma estranha de começar este livro. Afinal, o que você tem em mãos é um devocionário. Quando nos falta apreço por algo, o processo de identificar o que ele tem de bom geralmente implica acrescentar aquilo que, em nosso parecer, está faltando. A meu ver, o que falta é profundidade. Não em todos os conteúdos devocionais, mas em muitos deles. Abrimos o pequeno livro que cabe confortavelmente na mão ou que, colocado na mesa de centro, é apresentado como decoração. No alto da página, vemos indicado o primeiro dia, ou o trigésimo dia. Logo abaixo, vem um trecho curto das Escrituras. É seguido de um ou dois parágrafos cujo propósito é aproximar o leitor de Deus.

Tudo isso é maravilhoso, mas o que acontece quando as palavras giram em torno de nós mesmos e não de Jesus? Se as frases são um jardim com dois dedos de terra, que tipo de flor esperamos que cresça nesse solo raso? Recordo-me das obras de Oswald Chambers, Charles Spurgeon e *O vale da visão*, dos quais escritores contemporâneos se afastaram. É possível comunicar glória em poucas palavras. Por isso, a meu ver, a necessidade de concisão em devocionários não é a culpada pela falta de profundidade. "Satisfazemo-nos com facilidade demais", disse C. S. Lewis.[1] Lemos meia dúzia de frases, mordiscamos uma torrada, bebericamos uma xícara de café e imaginamos que estamos satisfeitos. Mas, por certo, se Deus é o Pão da Vida, sempre há mais.

Dito isso, a presente obra não é a refeição; é o aperitivo. Procuro nos levar além do fácil e rápido ao colocar no centro, a cada página, as Escrituras em lugar de nós mesmos. Cada devocional tem uma abordagem de foco exegético ou observacional. Em ambos os focos, o objetivo é estimular você. Abrir seu apetite, por assim dizer, para Deus e sua Palavra. Cada devocional é uma pá. Ao fechar o livro, será sua vez de cavar. De abrir as Escrituras usando minhas observações como recurso e não como conclusão. Meu grande desejo é que você descubra sua identidade ao olhar única e exclusivamente para Deus. E, acima de tudo, que você descubra que precisa dele. É a insuficiência de todas as coisas, inclusive dos devocionários, que evidencia nossa necessidade de receber mais do que aquilo com que temos nos contentado.

Não é raro interagirmos com textos devocionais apenas como meio de riscar um item de uma lista de afazeres ou de reduzir nossas inseguranças espirituais. A presente obra não pode se tornar a medida de sua maturidade espiritual, algo que você lê apenas para se sentir bem o suficiente. Ou que você estuda apenas para mostrar sua piedade. Você é capaz de muito mais, e sabe disso. Deus criou e redimiu você para que o conheça. Esse é o propósito de todas as coisas. E esse é o propósito deste livro. Cultivar em você o desejo por Deus. Garanto que um devocionário de sessenta dias não realiza essa obra em sua vida. Deus enviou Cristo para morrer pelo pecado e vencer sua pena e seu poder para que você possa conhecer o Salvador. E Cristo enviou o Espírito para preencher os santos a fim de que possamos conhecê-lo. Somente ele é suficiente. Portanto, se você chegar ao fim de uma página no primeiro ou no sexagésimo dia e perceber que ficou com um "gosto de quero mais", ótimo! Seu estômago está sendo preparado para receber mais. Lembre-se de que o pão não está neste texto. Está no Único livro para o qual ele aponta. Feche estas páginas, pois o jantar está servido. As Escrituras são a refeição, e Cristo é o pão. Busque-o e encontre plenitude.

DIA 1

Ele tomou o pão, agradeceu a Deus, partiu-o e disse:
“Este é meu corpo, que é entregue por vocês”.

1CORÍNTIOS 11.23-24

ANTES DO TRABALHO OU de qualquer outra coisa que demande nosso tempo depois de despertarmos, nós nos alimentamos. Mesmo que, seis a nove horas antes, tenhamos feito uma refeição, voltamos a comer. Saciamos a fome antes de dormir. E fazemos o mesmo depois do nascer do sol e do primeiro bocejo matinal. É científico. Biológico. Humano. Combustível é uma necessidade perpétua. Sem ele, nosso corpo deixaria de funcionar. Nos dias espirituais em que jejuamos e não damos alimento ao corpo, provamos o que a fome faz conosco. A mente se contorce. As emoções oscilam e, caso se voltem para a direção errada, geram em nós o ímpeto de pôr tudo abaixo. De segunda a domingo, somos, em grande medida, controlados por nosso estômago. Está vazio ou cheio? A resposta define quem vence dentro de nós: Monstro ou Misericórdia.

Não me parece estranho, portanto, que nosso Senhor use a comida como metáfora para si mesmo. O mais memorável é o pão. O assunto veio à baila quando Jesus disse a Israel que o Pai oferece pão verdadeiro (Jo 6.32). Ao ouvir as palavras do Mestre, o povo imaginou que ele tivesse acesso a um maná melhor e contemplou um milagre diferente. Milagre de sustento constante. "Senhor, dê-nos desse pão todos os dias", disseram eles (Jo 6.34). Todos os dias. Pensaram que a oferta de Jesus fosse para preencher o estômago e não a alma. Pão feito de trigo cultivado no solo e colhido por mãos humanas. Era alimento, mas não era o maná melhor. O pão verdadeiro era e é Jesus, que disse: "Eu sou o pão da vida" e "Eu sou o pão vivo que desceu do céu" (Jo 6.35,51).

Talvez você esteja se perguntando aonde quero chegar. Qual é a ligação entre minha primeira ideia e esta última? Simples: Assim como nosso corpo precisa da ingestão constante de alimento, nossa alma precisa de Deus. Sempre. Ao despertar, temos fome do céu e, no entanto, saciamos essa fome com alguns ou muitos momentos diante de uma tela. À medida que o dia avança, tapeamos nosso estômago ainda vazio com uma medida de amor que recebemos de alguém, com uma curtida, uma visualização. Se pudéssemos enxergar nossa alma no fim do dia, veríamos que não passa de pele e osso. Mal consegue permanecer em pé ou sorrir com todos os dentes. O corpo que abriga essa entidade quase morta permanece ativo, pois

depende de todos os outros tipos de pão, exceto Daquele que o Pai enviou.

A Mesa do Senhor está posta. Sente-se. Reanime-se com a vida dele. Sacie-se com o amor dele. Raspe o prato e não deixe um farelo sequer. Carecemos do Pão do céu, pois ele é insubstituível.

DIA 2

Dediquem-se à oração com a mente alerta
e o coração agradecido.

COLOSSENSES 4.2

NINGUÉM GOSTA DE TÉDIO. Especialmente em nossos dias, em que há um milhão de maneiras de nos entretermos. Coisas como a possibilidade de pular os comerciais reforçam nossa impaciência. Uma década atrás éramos obrigados, ainda que irrequietos, a assistir ao comercial até o fim. Hoje, essa é uma alternativa que ninguém escolhe. Queremos entretenimento sem interrupções.

Além disso, temos a maravilhosamente terrível invenção das redes sociais que nos entretêm sem cessar. É como o Coliseu em nossas mãos. Um movimento do dedo e temos o vídeo de uma receita, um sermão de doze segundos, um gol fenomenal, alguém detonando alguém, um artigo sobre nada ou tudo, a invasão da sede do governo, um cachorro cantando Sinatra.

Não é de admirar que, quando chega o momento de orar, a duração e a coerência de nossas preces sofram sob o peso de uma mente por inteiro avessa ao tédio. No ambiente de quietude que escolhemos, seja em nosso carro seja em nosso quarto, sentamo-nos ou deitamo-nos, ajoelhamo-nos ou permanecemos em pé. Fechamos os olhos e começamos da forma habitual: "Pai nosso", ou algo semelhante. Então, lembramo-nos de que acabou a toalha de papel na cozinha. "Que estás no céu." Reunião on-line na quinta-feira. "Santificado seja o teu nome." Por que papai não comprou a bicicleta que eu queria quando tinha doze anos? A essa altura, temos duas opções: podemos permanecer com Deus no silêncio ou podemos ceder ao ruído de nossa mente que, verdade seja dita, nos entretém mais do que a intimidade.

"Pense no tédio durante a oração silenciosa como um ato de purificação", recomenda um pastor. "Nesse momento em que nada acontece, Deus nos purifica do falso deus dos sentimentos agradáveis. A oração silenciosa é algo que, muitas vezes, desejo evitar, pois me obriga a exorcizar os demônios da empolgação, do estímulo e da distração."[2] De certa forma, o resgate da disciplina em nossa vida de oração ocorre à medida que descobrimos a beleza do tédio. Enquanto precisarmos fazer, escrever, ler, rir, assistir para ter alegria, a oração não despertará nenhum interesse. Mas, se fizermos uma pausa e relembrarmos o início da oração: "Pai nosso que estás no céu, santificado seja o teu nome", também nos lembraremos de Deus, a quem dirigimos toda oração. Seja no quarto seja no carro, Aquele com quem falamos é santo

no céu, transcendente em sua natureza, mas relacional e, portanto, próximo de nós, seus filhos. Ele é supremamente interessante. Supremamente intrigante. Não nos entretém, mas é absolutamente digno de nosso foco mental. E, pode acreditar, as distrações vão acontecer. Faz parte de nossa natureza humana. Mas, quando a mente vagar, voltemos para Deus, repetida e persistentemente.

DIA 3

Pensei: "É por esta razão que sofro;
o Altíssimo voltou sua mão direita contra mim".
Depois, porém, lembro-me de tudo que fizeste, SENHOR;
recordo-me de tuas maravilhas do passado.
Estão sempre em meus pensamentos;
não deixo de refletir sobre teus poderosos feitos.

SALMOS 77.10-12

AS PALAVRAS DE DEUS e a natureza de Deus devem guiar nossas emoções. Não quero dizer com isso que sentimentos são desnecessários; suas utilidades são muitas. Por mais úteis que sejam, porém, tornam-se um perigo para nós e para o mundo quando são desvinculados da Palavra de Deus.

Pense, por exemplo, nos dez espiões que viram os gigantes em Canaã, foram tomados de medo e se esqueceram de Deus. Ou pense em Davi, que, ao caminhar pelo terraço, viu uma mulher que tinha aliança com outro, ardeu de paixão e se esqueceu da pureza do coração. Ou em Pedro, no jardim não apenas com seu Senhor, mas também com os homens em cujas mãos seu Senhor seria entregue. Quando seu Senhor estava sendo preso, Pedro sentiu várias coisas. Talvez medo, talvez zelo. De qualquer modo, quando uma espada foi empunhada, uma orelha foi cortada. Os sentimentos de Pedro o fizeram se esquecer do reino. Quando as emoções recebem supremacia imerecida, podem nos levar a reagir a nós mesmos, a outros e a nossas circunstâncias de maneiras que refletem mais as emoções do que seu Criador.

Ao destacar as influências negativas das emoções, talvez as vejamos como inimigas da fé. Essa também seria uma perspectiva irracional, ou mesmo emotiva. As emoções são boas, pois nosso Senhor não apenas as criou, mas também as vivencia. Logo, não se trata simplesmente de como nos sentimos, mas de como aquilo que herdamos de Adão nos leva a reagir a esses sentimentos.

Em outras palavras, as emoções não são o problema; a carne é. Livrar-nos de nossas emoções não promove santificação. O que faz diferença é a Palavra inspirada, Palavra escrita e viva de Deus, em cada narrativa, epístola, profeta e salmo. Palavra viva do Deus do céu que se fez carne. Aquele que, depois de subir à destra gloriosa, enviou, junto com o Pai, seu Espírito que outrora pairava sobre as águas a fim de não apenas pairar, mas habitar naqueles pelos quais Cristo morreu. Embora nossas emoções sejam variáveis, podem e devem refletir a natureza de Deus.

DIA 4

Meu Deus, meu Deus, por que me abandonaste?

SALMOS 22.1

QUANDO LEIO SALMOS, chama a atenção a frequência com que perguntas são dirigidas a Deus. Por que ele permite isto ou aquilo? Por que abandonou esta ou aquela pessoa? O sofrimento desperta a curiosidade, e me parece que a curiosidade é parte saudável da oração. Até mesmo Jesus, prestes a morrer, fez uma pergunta para Deus.

Não sei ao certo quem nos ensinou a esconder de Deus as nossas dúvidas. Se me pedissem para adivinhar, eu diria que foram os anciãos de Israel. Não desejavam que fôssemos irreverentes. Sabiam que Deus era fogo consumidor, que descia sobre montes nos quais ninguém podia tocar. Cada geração posterior se mostrou tão obstinada quanto eles e propensa a testar Deus como se sua alma não estivesse em jogo. Não vou negar, portanto, que os anciãos tivessem boas intenções.

Também não devemos negar, porém, o testemunho das Escrituras a esse respeito. Gente piedosa faz perguntas para

Deus. E por que não? Os pensamentos e caminhos dele não são como os nossos. Muitas vezes, Deus opera de maneiras que não se alinham com nossa lógica, pois a natureza ou essência dele é distinta da nossa. Fugimos da dor; ele a usa. Odiamos nossos inimigos; ele os ama. Tentamos nos apegar à vida com unhas e dentes; ele ordena algo diferente. Ordena o caminho da morte que, de algum modo, nos leva a encontrar a vida que pensávamos estar perdendo.

Nem sempre a vida com o Deus transcendente faz sentido e, quando esse é o caso, nada mais natural que fazer perguntas. Ao superar nossa aversão à reverente curiosidade, talvez descubramos o que retivemos de Deus. E esse "o quê" talvez seja nossa própria identidade. Em certo sentido, evitar a curiosidade pode ser um luxo. Toda indagação exige que reconheçamos nossas limitações intelectuais. Mas não é só isso; perguntar algo exige que permaneçamos dentro da tensão que nosso corpo, nossa vida e nossa mente criaram. Trazer a dor à tona dói. Pensar naquilo que não entendemos é frustrante. Quando resolvemos não fazer perguntas sobre essas coisas para Deus, podemos seguir com a vida, manter a sensação de controle e a paz artificial. Mas negamos a nós mesmos a oportunidade de nos entregar inteiramente a Deus.

E se fazer perguntas para Deus for uma forma de cultivar intimidade com ele? E se nossas perguntas se tornarem uma porta para a vulnerabilidade diante dele? E se abrirem nossa

mente para lermos as Escrituras com expectativa energizada pelo Espírito em lugar de cansaço apático? Se Jesus é, verdadeiramente, a sabedoria de Deus (1Co 1.24), e se, ao fazer perguntas, descobrirmos Deus e, ao encontrar Deus, encontrarmos as respostas?

DIA 5

Orem no Espírito em todos os momentos e ocasiões.
Permaneçam atentos e sejam persistentes
em suas orações por todo o povo santo.

EFÉSIOS 6.18

EU COSTUMAVA IMAGINAR QUE falta de oração tivesse tudo a ver com tempo. Se deixava de orar, era porque o dia havia passado rápido demais. O relógio é como minha filha mais velha: um líder desmesurado. O calendário também. Todos os dias, temos algo para fazer. Com frequência, coisas boas. Trabalhar em casa ou no escritório. Almoçar com amigos da escola, da igreja ou de qualquer outro lugar. Também temos deveres maçantes, como lavar roupa. Em algum lugar do mundo, há uma pilha de roupas largada em um canto, ignorada em troca de maiores alegrias. Em meio à vida, amigos, igreja, filhos, escola, marido, esposa e longos expedientes de trabalho, onde cabe a oração? Tudo isso fazia sentido para mim. Dava um motivo para não orar. Até que li os Evangelhos e deparei com a verdade.

A verdade é que Jesus também tinha uma vida atarefada. Veio realizar trabalho que recebeu do Pai. Uma mulher cuja sede precisava saciar. Lázaro para ressuscitar. Ruas para endireitar. Água para em vinho transformar. Corpos para curar. Mesmo durante o repouso, quando algumas ondas levaram os discípulos a despertá-lo, ele trabalhou ao pronunciar paz. E, no entanto, em nenhuma passagem dos Evangelhos vemos Jesus deixar de lado a oração. Ele fazia questão de se encontrar com o Pai: por vezes pela manhã, por vezes durante a noite toda. Com frequência, antes de tomar decisões e criar milagres. Até mesmo no dia de sua morte, conversou com Deus sobre um cálice. E falou com Deus na cruz enquanto esse cálice era derramado (Mt 26.39; 27.46).

Nada no céu ou na terra impedia Jesus de se encontrar com o Pai. Tempo nunca foi motivo para deixar de orar; o coração, sim. Falta de oração é quase sempre questão de falta de humildade, consequência natural de um coração propenso a crer que é bom sem Deus. Sim, você é uma pessoa atarefada. Mas será que também não é uma pessoa orgulhosa? O orgulho é o verdadeiro inimigo de nossa vida de oração. Vende para nós a ilusão de autossuficiência. De que provisão vem de trabalho. De que bem-estar vem de relacionamentos. De que sucesso vem de nosso intelecto e ambição. Na verdade, porém, tudo o que somos e temos vem do Deus que faz chover sobre justos e injustos (Mt 5.45).

Para haver mais oração é preciso haver mais humildade. E humildade requer honestidade. A cada manhã, temos de dizer a verdade, isto é, que somos pobres e necessitados, mesmo quando não aparentemos ser. Conscientes disso, voltemo-nos para Deus e oremos.

DIA 6

Logo, todo aquele que está em Cristo se tornou nova criação. A velha vida acabou, e uma nova vida teve início!

2CORÍNTIOS 5.17

"NOVA CRIAÇÃO" É UMA GLORIOSA e louvável designação. Se é em Cristo que estamos, somos novos. Diferentes, originais, recém-formados. Todos nós, porém, sempre fomos e seremos criação. O único Ser não criado é Deus. Tudo mais é feito. Derivado do Eterno.

Nossa condição de seres criados nunca foi o problema; o problema sempre foi nossa resistência à submissão que essa condição requer. Todas as coisas foram criadas por meio dele e para ele (Cl 1.16). Se somos criação, fomos criados para Alguém superior a nós. Adão, a primeira criatura humana, arruinou esse conceito para nós. O pecado original nos treinou para odiar aquele que nos formou, odiar os limites que ele definiu. A vida inteira você procurou, com todas as forças, ser independente de Deus. Negou vida para si com todo o fôlego que ele lhe deu. Imaginou que o mundo fosse seu; o corpo também. Essas ilusões lhe pareciam naturais. As trevas eram seu país de origem.

Então, sem mérito seu, o Espírito de Deus pairou sobre a terra, sobre o solo de sua alma e, da morte, produziu vida. Graça. O solo impenetrável se amoleceu e se abriu. Tudo o que era sem forma e vazio ganhou contornos. Água viva jorrou e preencheu os vãos. Uma nuvem de fardos, que apenas o céu pode carregar, foi removida de cima de você. Agora, seus olhos são como o sol, cheios de luz e de milhares de estrelas invisíveis. Em pouco tempo, o solo produziu plantas que ele apenas recebeu e nunca semeou. Cada uma revelou fruto. Amor, alegria, paz, paciência, amabilidade, bondade, fidelidade, mansidão e domínio próprio. O fruto foi prova de novidade. Nada mudou e tudo mudou. Você continuou a ser criação, mas de um tipo diferente. De um tipo que reconhece o Criador pelo nome e lhe dá tudo o que é devido. Você devolveu ao Criador a mente e o coração que outrora tentou reter para si. Devolveu-lhe a alma também.

Sua novidade influencia sua forma de ver o mundo e tudo o que nele existe. Criaturas adquirem aspecto diferente. Você olha para elas e se lembra de quem as formou. Quando elas odeiam, você ama. Quando estão sobrecarregadas, você toma seus fardos e os entrega ao céu. Você se une a elas em louvor e oração pelo paraíso que agora vocês compartilham e pelo inferno que enfrentaram ao longo do caminho.

Sermos chamados nova criação é ver nosso nome na narrativa de Gênesis, mas também é diferente, pois temos dois

começos. Um deles quando nascemos. O outro quando nascemos de novo. E essa vida nova derrotou a morte. Essa vida também é diferente, pois não será o fim da novidade, mas sua continuação. O fim da vida será uma espécie de início, em novos céus e nova terra, em que nada mudou e tudo mudou para sempre.

DIA 7

Pois estas aflições pequenas e momentâneas que agora enfrentamos produzem para nós uma glória que pesa mais que todas as angústias e durará para sempre. Portanto, não olhamos para aquilo que agora podemos ver; em vez disso, fixamos o olhar naquilo que não se pode ver. Pois as coisas que agora vemos logo passarão, mas as que não podemos ver durarão para sempre.

2CORÍNTIOS 4.17-18

O SOFRIMENTO CRIA UMA lente interpretativa. Aguça ou embaça a visão do sofredor ao olhar para Deus. Um exemplo forte, mas proveitoso, se encontra no livro *A noite*, de Elie Wiesel. Nele, Wiesel fala do tempo que passou no infame campo de concentração de Auschwitz. Uma versão do inferno construída pela mente humana para "alojar", torturar, assassinar e usar como mão de obra os filhos de Abraão. Wiesel descreve a cena em que sua família desce do trem e pisa no solo de Auschwitz, sem saber de sua origem e de seu propósito. A mãe e a irmã de Wiesel são separadas dele e de seu pai, e eles nunca mais as veem. Ele olha para o alto e vê fumaça, um monte Sião degenerativo. Descobre onde a fumaça começa ao ver bebês, crianças e adultos serem lançados no fogo. O sacrifício dos "fracos". Diante desse horror, ele escreve:

> Jamais me esquecerei daquela noite, da primeira noite no campo, que transformou minha vida em uma longa noite fechada com sete selos. Jamais me esquecerei da fumaça. Jamais me esquecerei dos pequenos rostos das crianças cujos corpos vi serem transformados em fumaça sob o céu silencioso. Jamais me esquecerei daquelas chamas que consumiram minha fé para sempre. Jamais me esquecerei do silêncio noturno que me privou, por toda a eternidade, do desejo de viver. Jamais me esquecerei daqueles momentos que assassinaram meu Deus e minha alma e transformaram meus sonhos em cinzas.[3]

O sofrimento criou para Elie uma lente que, em virtude de sua força, tornou sua fé inútil e seu Deus, inexistente. Penso em Elie com frequência quando ouço falar de santos que, embora não tenham passado pelo holocausto, viveram alguma forma de inferno. Seu sofrimento é tão extenso, tão pesado, tão inatural que os tenta a negar a verdade. Reimaginar Deus é uma forma de lidar com aquilo que aflige.

De uma forma ou de outra é o que todos nós fazemos. Em geral, gradativamente. Nossas circunstâncias nos tentam a duvidar de uma verdade a respeito de Deus. Duvidar que ele seja bom, gentil, fiel, confiável, presente, poderoso, justo ou real. A tribulação se torna um falso mestre ao qual damos

ouvidos, pois, verdade seja dita, crer em uma mentira é muito mais confortável do que a realidade. A esperança é uma proposição desconfortável, mas é para isso que somos chamados. E não é uma vocação inteiramente desprovida de garantia de seu valor. Jesus tomou emprestado o salmo 22 ao se dirigir a Deus no Calvário. Em meio a sofrimento inimaginável, Jesus falou de abandono. Da perspectiva humana, essa é uma circunstância que poderia facilmente comunicar uma inverdade a respeito de Deus. Jesus não chega até o final do salmo, mas podemos ler o que vem em seguida. Depois que Davi se sente abandonado, ele declara a verdade:

> *Meu Deus, meu Deus,*
> por que me abandonaste?
> *Por que estás tão distante*
> de meus gemidos por socorro? [...]
> *Tu, porém, és santo*
> e estás entronizado sobre os louvores de Israel
>
> Salmos 22.1,3, grifos meus

Mesmo quando a vida é difícil, Deus é Deus. Mesmo quando a vida é difícil, Deus é bom.

DIA 8

Eles, porém, se recusaram a entrar na terra agradável,
pois não creram na promessa.

SALMOS 106.24

"ATÉ QUANDO ESTE POVO me tratará com desprezo? Será que nunca confiarão em mim, apesar de todos os sinais que realizei entre eles?" (Nm 14.11). Essas são palavras de Deus a Moisés depois que doze espiões foram enviados a Canaã para observar a terra e depois que dez deles voltaram com um relato pessimista. Os dez espiões disseram: "A terra que atravessamos ao fazer o reconhecimento devorará quem for morar ali!" (Nm 13.32). E: "Não podemos enfrentá-los! São mais fortes que nós!" (Nm 13.31).

Outros dois espiões discordaram do parecer da maioria. Também fizeram o reconhecimento da terra e de seus habitantes. Viram com seus próprios olhos o que teriam de enfrentar como nação. E, no entanto, sua voz não vacilou. Suas mãos não tremeram, seu corpo não se abalou. Por certo, sua coragem não foi herança; foi decisão. Não importava quão grande era a estatura do povo ou quão fortificadas eram as cidades, pois, como Josué argumentou, "Se o SENHOR se agradar de nós, ele nos levará em segurança até ela [a terra] e a dará a nós" (Nm 14.8).

A diferença entre os dois e os dez é esta: um grupo creu em Deus, o outro não. É raro associarmos coragem a fé, ou medo a incredulidade, mas ao olhar para os espiões fica evidente que os dois tinham uma visão elevada e, portanto, correta de Deus que influenciou sua percepção da terra. Para começar, criam que Deus estava com eles. E estava mesmo. Deus tornou esse povo objeto de sua afeição; determinou que o resgataria, como havia prometido. Depois que foram libertos, o mar se abriu para que atravessassem. E, em sua jornada de um lugar para outro, Deus os acompanhou dia e noite. Fogo e nuvem. O Deus invisível se tornou visível para que seu povo tivesse consciência de seu cuidado. Além disso, Deus deu a Moisés instruções para a construção do tabernáculo: Deus *com* seu povo. Estabeleceu leis para que fossem santos e prescrições para fazer expiação quando não fossem: Deus *por* seu povo. E não nos esqueçamos de que, antes de a lei ser dada, antes de o tabernáculo ser construído, antes da nuvem e do fogo, Deus havia prometido lhes dar aquela terra. A terra cujos habitantes os dez consideraram mais forte que Deus. O Deus que já havia enfrentado uma nação inteira. Ao que parece, não creram que ele pudesse fazê-lo outra vez.

É triste reconhecer que apenas ocasionalmente somos os dois. Na maioria das vezes, somos os dez. Tão impressionados com a grandeza daquilo que se encontra diante de nós que nossos medos se tornam nosso senhor e rei. Como alguém que visita uma cidade pela primeira vez, vemos placas de sinalização por toda parte. Se as seguirmos chegaremos ao lugar certo. A mais luminosa de todas é uma sepultura vazia. Aquele para a qual foi preparada ficou ali apenas brevemente e, ao ressuscitar e deixá-la, mostrou sua preeminência sobre ela.

Pela graça, recebemos o mesmo poder sobre a morte e o pecado e, portanto, *também* somos fortes; Deus *por* nós. Pela graça, recebemos seu Espírito; Deus *conosco*.

DIA 9

Se ele não poupou nem mesmo seu próprio Filho, mas o entregou por todos nós, acaso não nos dará todas as outras coisas?

ROMANOS 8.32

O NOME JAVÉ-JIRÉ TEM uma porção de associações. A maioria tem a ver com uma conta de telefone paga, um homem bom enviado em uma missão. Cédulas de dinheiro amassadas, escondidas na palma da mão de um santo benevolente e colocadas discretamente em mãos que não as esperavam. E esse nome descreve a verdade sobre Javé: o Senhor provê. É o que tem feito desde o começo de tudo.

Os primeiros, Adão e Eva, sabiam disso. Foram criados e incumbidos de um lugar não cultivado, mas pronto para eles. Foram chamados a exercer domínio sobre o que já estava lá. Foram instruídos a ser férteis e se multiplicar com o corpo que haviam recebido. Adão usou a mente que ele não formou para dar nome a seres que ele não criou. Para que alguém tenha ou faça algo, o Criador dos céus e da terra precisa prover. Deus sempre *foi*, mas Javé-Jiré como descrição do Eterno tem uma origem distinta do Éden. De onde veio esse nome?

Talvez você se lembre da história de Abraão e de seu filho Isaque. Abraão, chamado para ir aonde Deus mostrasse, recebeu a promessa de que se tornaria uma nação, de que todas as famílias da terra seriam abençoadas por seu intermédio e de que tudo isso aconteceria por meio de seu descendente, Isaque (Gn 12.1-3; 15.2-5; 17.1-8). Mas a trama se complica. Depois de décadas de espera, Abraão recebe o filho prometido. Passado um tempo, Deus ordena que ele o sacrifique (Gn 22.1-2). Era um teste, mas Abraão não sabia. De acordo com Hebreus, ele sabia apenas que, se Deus havia prometido que Abraão seria o pai de muitas nações e se essa promessa dependia de Isaque estar vivo, a carta na manga de Deus devia ser a ressurreição (Hb 11.19).

Em Gênesis 22.3-10, chega a hora de Abraão obedecer. Com seu filho prometido e amado, ele sobe o monte Moriá. Amarra Isaque com uma corda. Coloca-o sobre a lenha. Pega a faca. Ergue-a, prestes a transpassar o filho. O assassinato de uma promessa? Antes que isso aconteça, o pai ouve uma voz que o chama pelo nome: "Abraão! Abraão!". "Aqui estou", respondeu Abraão (Gn 22.11). A voz diz: "Não toque no rapaz [...]. Não lhe faça mal algum. Agora sei que você teme a Deus de fato. Não me negou nem mesmo seu filho, seu único filho!" (Gn 22.12). O pai levanta o olhar e vê ali, preso

pelos chifres em um arbusto, um carneiro, o substituto para seu filho (Gn 22.13). Abraão comemora a graça e a dádiva do Senhor: "Abraão chamou aquele lugar Javé-Jiré", que significa "o SENHOR providenciará" (Gn 22.14).

O nome Jiré traz à memória esse momento em que Javé-Jiré proveu um carneiro no arbusto. Esse momento, prefiguração do dia em que Deus proveria seu Filho encarnado. Graças a essa dádiva, o julgamento que espera os perversos, como uma faca junto ao pescoço, transpassou o Filho conforme ordenado pelo Pai. Não houve carneiro para substituir esse filho, pois esse Filho *foi* nosso substituto. Glória a Deus que não poupou seu Filho, seu único Filho, mas o entregou por nós.

DIA 10

Que vantagem há em ganhar o mundo inteiro, mas perder a vida?
E o que daria o homem em troca de sua vida?

MATEUS 16.26

OS PERVERSOS SE DÃO BEM, ou pelo menos é o que parece. Você os observa porque já foi um deles. Conhece-os por nome e por natureza. Alguns são amigos que preferiram o caminho largo, onde você os deixou quando passou a trilhar o caminho estreito. Ou são familiares cujo coração de pedra ainda não foi tocado. Proximidade e amor lhe permitem ver como estão se saindo. E, verdade seja dita, não parecem nada mal. Especialmente tendo em conta que caminham para o inferno.

Os relacionamentos deles são estáveis. O solteiro encontrou alguém, enquanto a você, que orou por um par, essa bênção foi negada. Amigas que nunca pediram, nunca bateram à porta, nunca choraram como Ana, ainda assim engravidaram. Alguns membros da família odeiam Deus, recusam-se a dizer que ele é bom e, no entanto, vivem em paz. Têm tudo de que precisam e são realizados; portas se abrem e nunca mais fecham. Você chega em casa e vê na tevê homens e mulheres com milhões de recursos. Nada lhes falta, e você sabe muito bem que não receberam essa provisão pela fé. Abrem a boca e recebem maravilhosa fartura. Quanto a você, a corda se aperta em volta de seu pescoço.

Como cristão, você foi provado pelo fogo. De tempos em tempos, meses ou dias — quem presta atenção quando está sofrendo? —, Deus torna sua vida difícil outra vez. Complicações relacionais. Orçamento apertado. Mente confusa. Coração cansado. Mas os perversos? Eles despertam pela manhã com uma mistura desconcertante de total ausência de temor a Deus e, ao que parece, total favor divino.

Mais de um santo nas Escrituras teve essa mesma impressão. Jeremias perguntou: "Por que os perversos são tão prósperos?" (Jr 12.1). Jó declarou: "Os ladrões, porém, são deixados em paz, e os que provocam a Deus vivem em segurança" (Jó 12.6). Malaquias disse: "De agora em diante, chamaremos de abençoados os arrogantes. Pois os que praticam maldades enriquecem, e os que provocam a ira de Deus nenhum mal sofrem" (Ml 3.15).

E também tem Davi, que, no salmo 73, destaca o aparente favoritismo demonstrado pelo Senhor (Romanos 2.11, porém, deixa claro que Deus não age com favoritismo). Quando ele reflete sobre as dificuldades dos justos e os confortos dos perversos, ressalta a tentação específica em seu coração: "Pois

tive inveja dos orgulhosos quando os vi prosperar apesar de sua perversidade" (Sl 73.3, grifos meus).

Davi nos ajuda a perceber que uma das tentações que surgem em tempos de sofrimento ou de escassez é a inveja. Os profetas não desejavam apenas prosperidade, mas a "liberdade" que ela parece dar. Quando os santos sofrem, é natural que desejem alívio. Ser confortados, enganosamente, por uma vida mais fácil. A intenção de Deus para nós, contudo, é que aprendamos a encontrar conforto em sua presença, paz em seu cuidado e liberdade em seu Espírito. Não em coisas ou mesmo em segurança, mas nele.

Interessante. Quando os santos sofredores têm inveja é porque perderam o foco. Só cobiçam quando deixam de olhar para Deus e observam os perversos. Quando olham para Deus, discernem: "Tentei compreender por que prosperam; que tarefa difícil! Então, entrei em teu santuário, ó Deus, e por fim entendi o destino deles. Tu os puseste num caminho escorregadio e os fizeste cair do precipício para a destruição" (Sl 73.16-18).

As tribulações da vida talvez não se dissipem quando os santos voltam o olhar para Deus, mas eles se tornam mais sábios. Capazes de ver a presença da graça em toda parte. Como Davi, que disse acerca de si mesmo para Deus: "Ainda pertenço a ti" e "Minha saúde pode acabar e meu espírito fraquejar, mas Deus continua sendo a força de meu coração" (Sl 73.23,26). Mesmo que os perversos tenham tudo, se não têm Deus, não têm nada.

DIA 11

> Estejam sempre alegres. Nunca deixem de orar.
> Sejam gratos em todas as circunstâncias, pois essa
> é a vontade de Deus para vocês em Cristo Jesus.
>
> 1TESSALONICENSES 5.16-18

SINISTRA EM SUA ORIGEM e destrutiva em sua aplicação: assim é a inveja. Tiago expressou essa realidade da seguinte forma: "Mas, se em seu coração há inveja amarga e ambição egoísta, não encubram a verdade com vanglórias e mentiras. Porque essas coisas não são a espécie de sabedoria que vem do alto; antes, são terrenas, mundanas e demoníacas. Pois onde há inveja e ambição egoísta, também há confusão e males de todo tipo" (Tg 3.14-16).

A inveja não é coisa rara para nenhum de nós. Alguém sempre tem algo que desejamos. A família grande. O homem lindo. A vida mais tranquila. A esposa apaixonada. A cintura fina. O salário alto. A grama verde do outro lado da cerca. Comparamos as bênçãos (ou julgamentos ocultos) de outros com as nossas e com a sabedoria que não vem do alto. Comparação se torna competição.

Uma coisa é discernir o que outros têm e nós não temos e encontrar alegria na diversidade da generosidade divina. Alegrar-nos porque "ele dá a luz do sol tanto a maus como a bons e faz chover tanto sobre justos como injustos" (Mt 5.45). Outra coisa é render-nos à comparação que nos leva a acreditar em mentiras sobre Deus e o próximo. A mentira em que cremos sobre nosso próximo geralmente é que, em razão de quem ele é ou do que ele tem, não merece nossa alegria, nosso amor, nosso elogio piedoso ou mesmo nossas orações sinceras. Percebe como essa abordagem é pecaminosa? Torna-nos propensos a desconsiderar a imagem de Deus em outros e a detestá-los porque, de uma forma ou de outra, são abençoados por ele. E a mentira em que cremos sobre Deus é, de uma forma ou de outra, que ele demonstra favoritismo. Que foi mais benevolente, gentil ou favorável para com outros do que para conosco. A verdade é que "Deus não age com favoritismo" (Rm 2.11). Portanto, as bênçãos de Deus não são sinal de que Deus ama *mais* o nosso próximo. Mostram apenas que Deus, em sua sabedoria e soberania, tem o direito de dar grama verde a uns e grama ainda mais verde a outros. Nenhum dos dois gramados é sinal de maior ou menor cuidado divino.

Eis outra verdade: "Não têm o que desejam porque não pedem. E, quando pedem, não recebem, pois seus motivos são

errados; pedem apenas o que lhes dará prazer" (Tg 4.2-3). Não temos algumas coisas que desejamos porque nunca pedimos. Em outras palavras, o hábito de pedir em oração é uma forma de resistir à inveja. Se ele der, ele deu. E se pedimos e não recebemos, talvez seja por proteção. Deus retém algumas coisas que são bênção para outros porque poderão ser maldição para nós. Deus nos conhece melhor que nós mesmos. Portanto, devemos ter cuidado para não cobiçar dádivas com as quais não fomos agraciados.

Antes, devemos olhar para o alto, ao redor e para dentro com gratidão por todas as dádivas que recebemos do Pai das Luzes. Você tem um corpo com aptidões e mente sã? Agradeça a Deus. Tem uma comunidade cristã e família? Tem um céu azul sobre sua cabeça? Agradeça a Deus. Tem coração de carne? Alma justificada? União com Cristo? Agradeça a Deus.

DIA 12

Foi desprezado e rejeitado, homem de dores,
que conhece o sofrimento mais profundo.

ISAÍAS 53.3

JESUS, EM SUA ENCARNAÇÃO, tornou-se tão necessitado e dependente quanto nós. Esforçamo-nos tanto para não ser vulneráveis. Nessa história toda, a projeção de autossuficiência é, em essência, imitação de divindade. Tentamos ser vistos como deuses, sem necessidades. Cobiçamos ser algo mais do que somos. E, por ironia, a incessante rejeição da vulnerabilidade não nos fortalece, mas esgota nossas forças.

Cristo, em virtude de sua completa humildade e em contraste com todos os filhos de Adão, escolheu a fraqueza quando se tornou carne. Assumiu a fraqueza da humanidade. "Embora sendo Deus, não considerou que ser igual a Deus fosse algo a que devesse se apegar. Em vez disso, esvaziou a si mesmo; assumiu a posição de escravo e nasceu como ser humano" (Fp 2.6-7). Por mais misteriosa que seja a encarnação, os motivos para ela não têm mistério nas Escrituras.

Cristo se tornou semelhante a nós para nos ajudar. "Portanto, era necessário que ele se tornasse semelhante a seus irmãos em todos os aspectos, de modo que pudesse ser nosso misericordioso e fiel Sumo Sacerdote diante de Deus e realizar o sacrifício que remove os pecados do povo. Uma vez que ele próprio passou por sofrimento e tentação, é capaz de ajudar aqueles que são tentados" (Hb 2.17-18).

Imagino que a projeção de autossuficiência vá além de nossos relacionamentos humanos e também contamine nossa intimidade com o Pai. Temos a tendência de supor que nossa proximidade de Deus, da santidade e afins seja uma questão de rigor. Morrer para isto ou aquilo, cortar fora isto ou aquilo. Confissão de algo e arrependimento de algo. Mas e se, por vezes, a vida de santificação se mostrar fugidia porque não cremos na empatia de Cristo? Se vemos Deus assentado em um trono, olhando do alto para a igreja que seu Filho redimiu, igreja fraca e imatura espalhada pelo mundo, e se imaginamos que na mente divina há apenas críticas e condenação calculada, nada mais natural do que não lhe expor nossa vulnerabilidade, não é mesmo? O que aconteceria, porém, se nos lembrássemos de Jesus no deserto: tentado, mas vitorioso? Ou Jesus no jardim do Getsêmani: angustiado, mas perseverante? Ou Jesus na sinagoga: mal interpretado, mas inabalado? Ou Jesus desprezado, mas sem revidar? Ou Jesus traído, cansado, justamente irado, injustamente julgado, abandonado, maltratado, homem de dores, mas cheio de alegria?

Repensemos essa imagem. Os personagens são os mesmos, mas a trama é diferente. Deus está assentado em seu trono e, à sua destra, se encontra seu Filho. Plenamente ciente de todas as fraquezas, do peso e de todo pecado que nos enredam, o Filho não tem prazer sádico nas falhas da igreja. O acusador de nossos irmãos é Satanás (Ap 12.10). Jesus é seu intercessor (Hb 7.25). Ressurreto dos mortos, carne e divindade no mesmo corpo, Cristo como Sumo Sacerdote vê você e, em lugar de condenação, oferece misericórdia. Por isso o autor de Hebreus *começa* com estas palavras: "Visto, portanto, que temos um grande Sumo Sacerdote que entrou no céu, Jesus, o Filho de Deus, apeguemo-nos firmemente àquilo em que cremos. Nosso Sumo Sacerdote entende nossas fraquezas, pois enfrentou as mesmas tentações que nós, mas nunca pecou", *antes* de dizer: "*Assim*, aproximemo-nos com toda confiança do trono da graça, onde receberemos misericórdia e encontraremos graça para nos ajudar quando for preciso" (Hb 4.14-16, grifos meus). A empatia antecede a misericórdia. A compaixão anda de mãos dadas com a graça.

DIA 13

E [Davi] disse ainda: "O SENHOR que me livrou das garras do leão e do urso também me livrará desse filisteu!".

1SAMUEL 17.37

DAVI MENCIONA SEU SUCESSO anterior ao vencer animais selvagens; esse é o motivo de sua convicção de que pode vencer Golias. Davi tem um currículo, por assim dizer, e nele está registrado que, certa vez, ele matou um leão. Em outra ocasião, matou um urso. Talvez pareça que Davi está contando vantagem. Talvez pareça que, seguro de si graças a essas experiências, ele imagine que será fácil lutar contra Golias. No entanto, Davi não entrega seu currículo a Saul para que o rei confie somente em Davi. Entrega seu currículo para mostrar por que ele pode confiar que *Deus* lutará por intermédio de Davi. Entrega seu currículo para que o rei possa confiar que *Deus* lutará por meio de Davi. Observe sua lógica: *o Senhor* me livrou no passado e me livrará agora. Embora o nome de Davi esteja no cabeçalho do currículo, Deus fez todo o trabalho.

Por falar em trabalho, vivemos em uma era de ambição extrema. Talvez não matemos leões, tigres e ursos, mas estamos nos arrebentando. Embora a produtividade seja mais alta que nunca, podemos dizer o mesmo da ansiedade, outra forma de medo. Creio que, em parte, o aumento coletivo de ansiedade em nossa era se deve ao fato de que nos tornamos incrivelmente eficientes em fazer mil coisas ao mesmo tempo. Criamos filhos e conquistamos diplomas, comemos sanduíche de carne de jaca desfiada, ouvimos podcasts e esfoliamos os poros, tudo isso ao mesmo tempo que tentamos servir a outros na igreja, ler a Bíblia e resistir ao mundo, à carne e ao diabo. Trabalhamos com afinco e temos muitos resultados para mostrar.

Mas. Ao olharmos para nossos currículos e vermos a nós mesmos e tudo o que realizamos, em vez de enxergar a graça de Deus, quando algo não sai como planejamos, quando algo deixa de funcionar, quando estratégias que sempre deram certo falham, lidamos com a ansiedade resultante procurando ser mais produtivos em vez de nos tornar mais humildes. Traçamos novos planos antes de orar. Trabalhamos antes de repousar. E, por vezes, eliminamos todo o descanso. Tudo porque, quando sabemos que sabemos gerar resultados, começamos a crer que somos o denominador comum de todas as vitórias. Começamos a imaginar que não foi *o Senhor* que nos livrou da última vez e nos livrará desta vez. Fomos nós mesmos.

E se parte de nosso medo, angústia e estresse for consequência de transformarmos em ídolo nossa capacidade de ser

produtivos? Imagine se Davi tivesse ouvido Golias esculhambar os israelitas e tivesse se lembrado, acertadamente, de que já havia lutado contra coisas maiores que ele, mas tivesse se esquecido de atribuir suas vitórias anteriores a Deus? Davi teria caído no mesmo orgulho que Golias. E como Deus reage aos orgulhosos? A Bíblia diz que Deus se opõe a eles. Davi não poderia derrotar o gigante com seu ego. E você também não pode. Davi só seria vitorioso se Deus lutasse por ele.

DIA 14

Os que adoram falsos deuses dão as costas
para as misericórdias de Deus.

JONAS 2.8

RENDIÇÃO É UMA PALAVRA assustadora. Se você é como eu, seu coração estremece cada vez que você a ouve, pois sabe de tudo o que há em seu interior ou em sua vida que talvez precise ser removido, deixado para trás, lançado em direção ao céu e entregue a Deus. Mas, rendição não é uma palavra nova. Ou melhor, não é um conceito novo.

Em Gênesis, temos Adão e Eva, feitos à imagem de Deus e, portanto, para sua glória. Em virtude de sua perfeição, viviam em estado contínuo de rendição. Seu corpo e sua vida eram sempre *dele*, isto é, de Deus. Viviam para ele.

Até que a serpente apareceu. O diabo não tentou apagar o conceito de rendição. Não disse que não deviam se render de maneira nenhuma. Em vez disso, criou as condições para que se rendessem a algo ou alguém além de Deus. Para que entregassem seu corpo e sua vida à glória de algo criado em lugar do Criador. Tentação e engano os levaram a se dispor a sacrificar todo o seu ser no altar de outra pessoa, pois deixaram de crer que Deus era supremamente digno.

Temos dentro de nós o mesmo raciocínio. Por isso a rendição nos assusta. Imaginamos que se entregarmos aquilo que Deus está pedindo de nós — se colocarmos nas mãos dele aquilo que é tão precioso para nós, se resolvermos parar de nos curvar aos pés dos ídolos que criamos e se andarmos com nossas próprias pernas — algo nos faltará. Imaginamos que nos render a Deus é abrir mão de nossa alegria. Essa foi a mentira primeva. A mentira de que, quando minhas mãos estão abertas e vazias, Deus não é poderoso o suficiente ou não é bom o suficiente para enchê-las novamente. Nosso medo de nos render é, na verdade, nossa descrença de que Deus é melhor do que tudo o que ele pede que lhe entreguemos. Entregamos qualquer coisa a Deus quando cremos que ele é tudo.

É curioso que Jesus tenha passado por isso. Não considerou que ser igual a Deus fosse algo a que devesse se apegar. Esvaziou-se porque o Pai era tudo para ele. Pare e pense. Jesus, Deus do céu, Senhor de tudo, se tornou servo porque o Pai era tudo para ele. O Rei invisível nasceu como ser humano porque Deus era tudo para ele. E o Senhor da glória veio em forma humana e foi obediente até a morte porque Deus era tudo para ele. E, depois de tudo, o Pai "o elevou ao lugar de mais alta honra e lhe deu o nome que está acima de todos os nomes, para que ao nome de Jesus, todo joelho

se dobre, nos céus, na terra e debaixo da terra, e toda língua declare que Jesus Cristo é Senhor, para a glória de Deus, o Pai" (Fp 2.9-11).

O mais importante é saber que não há nada em suas mãos que Deus não substitua por mais dele mesmo. Portanto, abra as mãos. Deixe o vento levar tudo. Deixe o fogo consumir tudo. Afinal, Deus é melhor. Talvez seja doloroso. Talvez seja inconveniente. Talvez você sinta falta de algo. Talvez tenha de sacrificar algo. Confessar algo. Contudo, Deus está esperando você do outro lado da rendição. E não sei o que você pensa, mas eu prefiro mais dele a mais de qualquer outra coisa, pois ele é melhor que tudo.

DIA 15

A língua tem poder para trazer morte ou vida;
quem gosta de falar arcará com as consequências.

PROVÉRBIOS 18.21

AS ESCRITURAS TÊM UM MUSEU de espadas. Há uma espada que penetra de forma específica junta e medula, carne e sangue: "A língua uma chama de fogo. É um mundo de maldade [...]. Às vezes louva nosso Senhor e Pai e, às vezes, amaldiçoa aqueles que Deus criou à sua imagem. E, assim, bênção e maldição saem da mesma boca. Meus irmãos, isso não é certo!" (Tg 3.6,9-10). Ao romper a pele, o sangue evidencia a dor. O corpo sente o punhal, e o coração se aflige com o que ouve. A contradição é ruidosa, não é mesmo?

No parecer de Tiago, movido pelo Espírito, a forma como falamos com pessoas e a seu respeito conta uma história. Se consideramos todos — amigos e inimigos, o próximo e o mala sem alça — feitos à imagem de Deus, nossas palavras devem ser temperadas por essa verdade. Cada um com quem falamos, pecador e santo, é portador da imagem de Deus; por isso, cada um é digno de honra.

Ou, como disse C. S. Lewis:

> A pessoa mais chata e desinteressante com quem você pode conversar talvez se torne um dia uma criatura que, se você visse agora, seria fortemente tentado a adorar, ou então um horror e uma corrupção que, hoje, se você vê, é somente em pesadelos [...]. Não existem pessoas comuns. Você nunca falou com um mero mortal [...]. É com imortais que fazemos piadas, trabalhamos e nos casamos; é a imortais que esnobamos e exploramos — horrores imortais ou esplendores eternos.[4]

Para reiterar essa ideia, se Deus fez todas as pessoas, todas são especiais. A natureza de nosso próximo merece consideração ao falarmos. E as palavras que usamos revelam a integridade de nosso ser interior. Ou melhor, revelam a desintegração do vínculo entre essas duas realidades quando nossas palavras demonstram uma combinação óbvia de bênção e maldição que sai da mesma boca. Tiago chama nossa atenção para a essa incoerência ao explicar que o fruto de uma planta deve corresponder à natureza da planta: "Acaso de uma mesma fonte pode jorrar água doce e amarga? Pode a figueira produzir azeitonas ou a videira produzir figos? Da mesma forma, não se pode tirar água doce de uma fonte salgada" (Tg 3.11-12).

Alguns talvez procurem resolver o problema da língua simplesmente se recusando a falar, mas o silêncio não regenera

nem santifica. A fim de domar a língua, precisamos tratar de quem somos. "A boca fala do que o coração está cheio" (Lc 6.45). Ao tratar não apenas das palavras que dizemos, mas do coração que define o discurso, podemos trabalhar em favor da integração de nossas palavras e nossa adoração.

DIA 16

Não se deixem enganar pelos que dizem essas coisas, pois "as más companhias corrompem o bom caráter".

1CORÍNTIOS 15.33

NO SALMO 1, O SALMISTA pronuncia bênção sobre quem evita fazer várias coisas na companhia de pecadores e perversos. Talvez nos distraiamos com os verbos e procuremos encontrar revelação entre as letras. Na verdade, porém, é tão simples quanto parece: "Bem-aventurado é aquele que não anda no conselho dos ímpios, não se detém no caminho dos pecadores, nem se assenta na roda dos escarnecedores" (Sl 1.1, NAA).

Em outras palavras, bem-aventurada é a mulher que se recusa a ouvir a voz de amigos que amam a terra mais do que o reino dos céus. Eles são o coral das trevas. São gente que toma emprestadas frases de Satanás e as chama de "conselho".

Em outras palavras, bem-aventurado é o homem que não pisa em certos tipos de solo. Ele viu as árvores que brotam dele: estéreis, mas conhecidas. Ele também já foi galho sem raízes. Homem sem alegria. De boca grande e alma sedenta, caçando as filhas dos homens como um fantasma esfomeado. Percorreu esse caminho e, em seu final, não encontrou Deus.

Em outras palavras, bem-aventurada é a mulher que não tem interesse em tomar café com zombadores. É uma perversão do intelecto. Pegar o que Deus revelou e usar a mente que ele deu, com o coração que Adão determinou, e com a boca chamar Deus de qualquer coisa que não seja Senhor.

Os zombadores que zombam dão festas, escrevem livros, lecionam em salas de aula, participam de discussões, a descrença sempre atravessada na garganta. Zombam de Jesus e daqueles que o amam. Desventurado é quem blasfema. Bem-aventurado é quem crê.

Diante desse quadro, o salmista não propõe como alternativa que andemos com uma galera melhor (embora seja sábio fazê-lo); antes, ele diz: "Pelo contrário, tem prazer na lei do SENHOR e nela medita dia e noite" (Sl 1.2). Os caminhos e as palavras que escolhemos ao longo do dia podem ser uma forma de meditação. Horas infindáveis nas redes sociais, contemplando pessoas que não conhecemos e que não amam a Deus; interações contínuas com certos amigos do mundo; maratonas de séries que exaltam a vida sem Deus. Não importa o que seja. Se nossa mente está na presença constante do conselho dos ímpios, no caminho dos pecadores e na roda dos zombadores, é natural que nossa vida seja formada por eles. Pensaremos como eles pensam. Andaremos como eles andam. Sentaremos onde eles sentam. Escolher o contrário

de tudo isso é um ato de disciplina que só pode ser mantida por um coração que se *alegra* naquilo que escolhe. Meditar dia e noite na lei de Deus é santa consequência de, primeiro, ter prazer nela. A Palavra de Deus oferece caminhos que conduzem à vida. Formas de viver que promovem paz. E lugares para sentar em que Jesus como Senhor é uma canção bem-vinda.

DIA 17

Acaso estou tentando conquistar a aprovação das pessoas? Ou será que procuro a aprovação de Deus? Se meu objetivo fosse agradar as pessoas, não seria servo de Cristo.

GÁLATAS 1.10

A HUMILDADE ME DEIXA CURIOSA. É uma forma inatural de existência para todos, exceto para Deus. Por mais gigantesca que tenha sido a vida de Jesus, ele foi pequeno dentro dela. Em outras palavras, nos Evangelhos, vemos o Criador de tudo se reduzir intencionalmente a ponto de ser, por vezes, imperceptível.

Considere, por exemplo, seu primeiro milagre. Há um casamento. Jesus está lá com seus discípulos. A mãe dele também está presente. Vinho é distribuído e bebido até acabar. Maria pede ajuda de Jesus. Ele atende, mas de forma inesperada. Por ordem de Jesus, servos enchem vasilhas de água. São instruídos, então, a pegar um pouco dessa água e levá-la ao mestre de cerimônias. A água tornada em vinho é provada e aprovada. É melhor que o primeiro vinho servido. Você já observou, porém, que os elogios não vão para Jesus? O mestre de cerimônias não fazia ideia de que havia bebido um milagre. A maioria dos convidados também não. Para eles, o noivo era excelente anfitrião. Tudo de bom que beberam transbordou em elogio para alguém a quem ele não pertencia. Enquanto isso, aquele que fez o vinho e o mundo permaneceu ali, completamente contente, não apenas compartilhando sua glória, mas entregando-a inteiramente a alguém que não merecia crédito.

Qual foi a última vez que você fez o bem sem a expectativa, a esperança ou a sugestão de que ele fosse notado? Ao contribuir, servir, orar, jejuar, estudar, regozijar-se, ensinar, renunciar, esfregar, cozinhar, limpar, trabalhar, organizar, arrancar, cortar ou construir, você esperou um desfile em sua homenagem? Quando o desfile não aconteceu, o que você sentiu? Amargura? Desânimo? Talvez ambos? Do tipo que nos deixa insatisfeitos com o olhar de Deus? Do tipo que nos transforma naqueles que, em João 12.43 "amaram a aprovação das pessoas mais que a aprovação de Deus"?

Se pararmos e analisarmos com atenção, quanto de nossa "bondade" nasce do solo da necessidade insaciável de sermos amados e apreciados por aqueles que não nos criaram? O louvor deles é imediato e perceptível, enquanto a exaltação de Deus em nós é um ato de fé naquilo que ele disse e dirá.

Leia as palavras de Jesus e creia nelas:

> Tenham cuidado! Não pratiquem suas boas ações em público, para serem admirados por outros, pois não receberão a

recompensa de seu Pai, que está no céu. Quando ajudarem alguém necessitado, não façam como os hipócritas que tocam trombetas nas sinagogas e nas ruas para serem elogiados pelos outros. Eu lhes digo a verdade: eles não receberão outra recompensa além dessa. Mas, quando ajudarem alguém necessitado, não deixem que a mão esquerda saiba o que a direita está fazendo. Deem sua ajuda em segredo, e seu Pai, que observa em segredo, os recompensará.

Mateus 6.1-4

Amados, Jesus ordena que façamos como ele. Transformemos água em vinho, deixemos que outros bebam do vinho, observemos enquanto se alegram nele e, se nosso nome não aparecer na canção de louvor, fiquemos em paz. Há um louvor melhor à nossa espera.

DIA 18

Provocaram a ira de Deus
ao construir altares para outros deuses;
com seus ídolos,
despertaram nele ciúmes.

SALMOS 78.58

PRIMEIRA PERGUNTA: SOMOS CAPAZES de identificar ídolos? Paulo era. "Enquanto Paulo esperava por eles em Atenas, ficou muito indignado ao ver ídolos por toda a cidade" (At 17.16). Os objetos que Paulo chamava de ídolos, nós chamamos de "arte" quando os vemos em um museu, o que talvez seja uma metáfora contemporânea. Temos de discernir constantemente a descrição apropriada para as coisas: arte ou ídolo, família ou deus, emprego ou capataz, dinheiro ou senhor? Arão fez um *bezerro de ouro*. Arte. Os israelitas o chamaram de *deus*. Idolatria. A fim de discernir se alguma coisa é um ou outro, temos de observar com atenção como as pessoas interagem com ela.

Os atenienses chamavam seus ídolos de *deuses* e os tratavam como tal. Nós, em contrapartida, usamos nomes corriqueiros para as coisas às quais prestamos culto e, portanto, nos consideramos menos idólatras que os antigos. Podemos ir para o leste desta nação americana e deparar com mil deuses em uma só viagem de trem. Podemos ir para o oeste, onde se encontra o trono de Hollywood, sobranceiro e exaltado, e ver os lindos e os glamorosos. É preciso ser discernente para entender que "beleza" é a divindade adorada em nosso meio. Ao irmos para o sul, talvez imaginemos que o país pertence a Deus. Na verdade, porém, ali o país é deus.

Quer você se volte para a direita quer para a esquerda, todas as cidades estão abarrotadas de ídolos. *Mas*, mesmo que seja o caso, outra pergunta, depois da primeira, é: Você se importa? Paulo ficou "indignado" (At 17.16). Agitado. Tomado de emoção. Uma coisa é reconhecer o mal quando o vemos; outra é ter um espírito que fica indignado por causa dele. Moisés viu o ídolo conhecido como bezerro de ouro "e ficou furioso. Jogou as tábuas de pedra no chão e as despedaçou ao pé do monte" (Êx 32.19). Jesus viu homens cujo coração, como as cidades, estava repleto de ídolos, e ficou "irado e muito triste pelo coração endurecido deles" (Mc 3.5). Eu diria que a indignação piedosa é resultado de uma perspectiva correta de Deus e dos seres humanos que move nosso coração à tristeza e à ira, ao lamento e à compaixão.

Última pergunta. Quando Paulo trata da idolatria que ele observa (a indignação deve motivar instrução), como ele o faz? Ele exalta a natureza de Deus:

> Pois, enquanto andava pela cidade, reparei em seus diversos altares. Um deles trazia a seguinte inscrição: "Ao Deus Desconhecido". Esse Deus que vocês adoram sem conhecer é exatamente aquele de que lhes falo. Ele é o Deus que fez o mundo e tudo que nele há. Uma vez que é Senhor dos céus e da terra, não habita em templos feitos por homens e não é servido por mãos humanas, pois não necessita de coisa alguma. Ele mesmo dá vida e fôlego a tudo, e supre cada necessidade.
>
> Atos 17.23-25

É demonstrada para os idólatras, portanto, a ilegitimidade dos objetos de adoração deles — e nossos. E Paulo também deixa clara a natureza do ser humano: "Pois nele vivemos, nos movemos e existimos" (At 17.28). Ele mostra que toda a nossa existência é inteiramente dependente de Deus, o Senhor dos céus e da terra. Logo, o sustento que imaginamos que um ídolo proveu veio, na verdade, somente da mão de Deus. E, por fim, Paulo fala do propósito do Criador para o ser humano: "De um só homem ele criou todas as nações da terra, tendo decidido de antemão onde se estabeleceriam e por quanto tempo. Seu propósito era que as nações buscassem a Deus e, tateando, talvez viessem a encontrá-lo, embora ele não esteja longe de nenhum de nós" (At 17.26-27). Fomos criados e colocados onde estamos, de leste a oeste, para que encontremos Deus. Quando o encontrarmos, saberemos identificar todas as outras coisas.

DIA 19

Então o SENHOR enviou o profeta Natã a Davi.

2SAMUEL 12.1

TODOS PRECISAM DE UM NATÃ. Alguém enviado com amor corajoso e palavras sábias para o bem de nossa fé. De que outra maneira Davi poderia ter enxergado a si próprio?

Conhecemos a história relatada em 2Samuel 12, não é mesmo? Davi caminhava pelo terraço; ao olhar para baixo e ver Bate-Seba, mandou trazê-la para o palácio. Quando ele soube da semente que havia plantado, tramou para encobrir o pecado. Falsa expiação. Resolveu matar Urias, marido dela, e foi bem-sucedido. Bate-Seba carregou no ventre o filho e o deu à luz, e Davi não confessou coisa alguma. Entre o nascimento e a conversa com Natã, passou-se quase um ano. Se Deus não envia alguém para nos socorrer, a cegueira envelhece conosco. Pedro, que negou Jesus três vezes, só se entristeceu quando o galo cantou.

Natã conta para Davi a história de um rico que tem vários rebanhos e de um pobre que tem só uma cordeirinha.

Um visitante chega à casa do rico, que toma a cordeirinha do pobre. Davi ouve a história, e a raiva brota dentro dele. Poderia ser entendida como ira justa. Se ele fosse pregador, imaginaríamos que o furor dele representava sua pureza interior; em algum aposento do palácio, contudo, estava a mulher que ele havia tomado de outro. Em uma sepultura, estava o pobre do qual ele a havia roubado.

Os pecados de Davi eram reais e evidentes e, no entanto, ele voltou seu convencimento da culpa contra uma perversidade imaginária. Depois de ouvir a história, Davi disse: "Tão certo como vive o SENHOR, o homem que faz uma coisa dessas merece morrer!" (2Sm 12.5). Davi discerniu o que devia ser feito ao homem; não se enxergou, porém, como o objeto dessa ação. "Então Natã disse a Davi: 'Você é esse homem!'" (2Sm 12.7).

Todos nós precisamos de um Natã. Sem um, dois, ou muitos deles, discernimos a verdade de modo parcial. Temos uma pequena medida de entendimento para divisar justiça, retidão, verdade e como devem ou não ser expressas. Articular o que é *reto*, porém, não é evidência de retidão presente. Nem sequer temos como discernir esse fato se olharmos para nós mesmos como confirmação acerca de nós mesmos. É plenamente possível ser exatos e retos ao julgar outros e ignorantes acerca das semelhanças que temos com eles.

Todos nós precisamos de um Natã, alguém que nos ame o suficiente para dizer a verdade. Que, entre uma piscada e

outra, veja a trave em nosso olho e realize o cuidadoso trabalho de removê-la.

Todos nós precisamos de um Natã. Alguém enviado por Deus como missionário da misericórdia. O salmista disse: "Firam-me os justos! Será um favor! Se eles me corrigirem, será remédio que dá alívio; não permitas que eu o recuse" (Sl 141.5).

Todos nós precisamos de um Natã.

DIA 20

A mulher viu que a árvore era linda [...],
tomou do fruto e o comeu.

GÊNESIS 3.6

A BELEZA TEM A CAPACIDADE mágica de nos atrair para ela. Sempre que a encontramos em algo, queremos que dure. Que permaneça, de preferência conosco.

A invenção do telefone com câmera trouxe à tona nosso amor pela beleza. Quantos de nós, sentados à mesa e morrendo de fome, não fazemos um jejum momentâneo só para fotografar nosso prato? Não apenas queremos nos lembrar do que vimos, mesmo antes de provar, mas também queremos compartilhar sua beleza. Que valor tem a beleza se não podemos falar dela a outros? "Gente, você viu a bebezinha dela? É linda!" "Cara, esses tênis são de arrasar, hein?" "Mãe, olha só! Um arco íris!" Não é de admirar que Eva tenha comido o fruto e, logo em seguida, dado para seu marido.

O problema da beleza nunca é a coisa bela em si. Como aconteceu com Eva e com o fruto que ela achou lindo de morrer, acontece conosco. Deus, supremamente belo, nos concedeu cores, alimentos, música, amigos, sorrisos, linguagem, como extensões de sua beleza inerente. "Toda dádiva que é boa e perfeita vem do alto" (Tg 1.17). Tendo em conta nosso coração, que, de acordo com Jeremias, é "mais enganoso que qualquer coisa" (Jr 17.9), nosso problema não é necessariamente que somos incapazes de discernir beleza; é que somos míopes a ponto de não reconhecer a beleza transcendente em direção à qual todas as atrações terrenas devem nos mover. Ou, como Hannah Anderson expressou, "Coisas belas nos atraem para além de si mesmas, para uma realidade maior que qualquer um de nós".[5]

O riso é belo, não é mesmo? Fazemos questão de criar espaço para ele e construímos relacionamentos em torno dele. É um espetáculo experimentá-lo. A boca se abre, lágrimas rolam, mãos se agitam, deixamos escapar sons incoerentes de toda espécie, e toda expressão é alegria pura entrando no corpo. É lindo. Essa beleza, contudo, tem uma fonte que existe além do riso em si. A intimidade é bela, não é mesmo? Mãos dadas, corpos abraçados, um beijo na testa, um amigo que aparece e ouve ininterruptamente. É lindo sermos conhecidos e, ainda assim, amados. O mundo inteiro corre atrás disso, mas de forma indevida. Prefere a sombra em lugar da substância.

Quantos filmes, canções e vícios existem porque corremos atrás de coisas belas, completamente cegos para a origem

dessa beleza? Quantas almas entraram no inferno porque não creram que o Criador fosse mais belo do que tudo o que ele criou? Fazemos bem em seguir a beleza até sua origem. Toda alegria e intimidade até seu Criador. O amor de hoje até sua fonte.

DIA 21

Certo dia, enquanto íamos ao lugar de oração, veio ao nosso encontro uma escrava possuída por um espírito pelo qual ela predizia o futuro. Com suas adivinhações, ganhava muito dinheiro para seus senhores. Ela seguia Paulo e a nós, gritando: "Estes homens são servos do Deus Altíssimo e vieram anunciar como vocês podem ser salvos!". Isso continuou por vários dias, até que Paulo, indignado, se voltou e disse ao espírito dentro da jovem: "Eu ordeno em nome de Jesus Cristo que saia dela". E, no mesmo instante, o espírito a deixou.

ATOS 16.16-18

EM NOSSA EXASPERAÇÃO COM pessoas que amamos ou detestamos, muitas vezes percebemos seu comportamento através de lentes terrenas. Em certo sentido, é apropriado que o façamos, pois estamos na carne (isto é, caídos), e elas também. Quando elas se entregam à cobiça, à inveja, ao desamor e aos demais pecados cometidos por todos exceto Deus, isso também é resultado da carne (da natureza pecaminosa).

E, no entanto, as Escrituras dizem: "Pois nós não lutamos contra inimigos de carne e sangue, mas contra governantes e autoridades do mundo invisível, contra grandes poderes neste mundo de trevas e contra espíritos malignos nas esferas celestiais" (Ef 6.12). A realidade espiritual influencia o comportamento de qualquer pessoa com quem encontramos. Para aqueles que andam pelo Espírito, sua bondade, mansidão, paciência e outras partes do bom fruto são obra do Espírito Santo. Para aqueles que vivem conforme a carne, aplicam-se as palavras de Jesus: "Pois são filhos de seu pai, o diabo, e gostam de fazer as coisas perversas que ele deseja" (Jo 8.44).

Aonde quero chegar? Por vezes, o comportamento terrível das pessoas se deve simplesmente a sua natureza humana carnal e decaída e, em outras ocasiões, deve-se à influência direta (ou indireta) do inimigo. A esse respeito, o que chama a atenção em Atos 16 é que Paulo ouviu a voz da jovem, mas se dirigiu ao espírito dentro dela. Ele não a desprezou, mas condenou claramente o que estava por trás de suas ações enervantes. Lembrou que havia mais coisas acontecendo nas pessoas ao seu redor do que se podia ver.

Preste atenção. Não estou dizendo que devemos pressupor que todas as divergências ou interações difíceis se devem a possessão demoníaca. Ou que exorcismos são o ideal quando

simplesmente conversar, ou remover a trave de nosso olho, ou lidar com nossa própria carnalidade decaída, talvez seja a melhor opção. Estou dizendo que, se há coisas reais além de carne e sangue, devemos orar mais, depender mais do Espírito Santo e demonstrar mais graça por todos. Mesmo quando as pessoas são hostis ou irritantes além da conta. Pois mesmo que sejam nossas inimigas, não são o inimigo.

DIA 22

Tenho certeza de que aquele que começou a boa obra em vocês irá completá-la até o dia em que Cristo Jesus voltar.

FILIPENSES 1.6

DESÂNIMO É UMA EXPERIÊNCIA comum para a maioria dos cristãos. Especialmente para aqueles que têm algum nível de autoconsciência. Lemos as Escrituras, vemos o Filho e não nos enxergamos. Quando Paulo diz coisas como "sejam meus imitadores" (1Co 11.1), damos uma risadinha cheia de insegurança. A cada manhã, as misericórdias são novas e nós somos os mesmos, ou pelo menos é o que pensamos. Nossas fraquezas e a lentidão de nosso crescimento estão diante de nós como lembrança de que ainda temos um longo caminho a percorrer para nos tornarmos semelhantes a Jesus.

Deus sabe disso, sabe que precisamos dele para nos tornar como ele. Diante de nossa necessidade, portanto, ele poda os galhos. Uma provação aqui. Um sofrimento ali. Somos refinados e santificados pelo fogo. O que muitas vezes deixamos de considerar é como reagimos às provações do momento e o quanto essas reações são diferentes, ou não, do que eram no passado. Charles Spurgeon diz:

> O Senhor sabe como educar você e conduzi-lo a um ponto em que poderá suportar nos anos por vir aquilo que não seria capaz de suportar hoje; assim como hoje ele pode fazê-lo permanecer firme debaixo de um fardo que, dez anos atrás, teria esmagado você e o transformado em poeira.[6]

Quando o Senhor ordenou a Abraão que sacrificasse Isaque, sabemos que foi um teste. Contudo, não foi o primeiro teste de Abraão. Você se lembra do que Deus ordenou que Abraão fizesse quando o chamou em Gênesis 12? Instruiu-o a deixar sua terra, sua família e seu lar e ir aonde Deus queria que ele fosse. Logo, Abraão sabia bem o que era Deus lhe dizer para sacrificar algo que ele amava. Não é de admirar que não haja menção nenhuma no texto de resistência de Abraão à vontade de Deus, como houve no caso de Jonas. Deus, em seu cuidado providencial por Abraão, preparou sua fé para que, a cada teste mais intenso, as forças de Abraão também fossem maiores. Cada oportunidade de perseverar gerou mais perseverança, e sabemos que "a perseverança produz caráter aprovado" (Rm 5.4).

Portanto, quando estiver no meio da próxima provação, observe sua reação. Como está sua fé? Sua alegria? Sua determinação em meio à dificuldade? Por certo, ficará aquém da

perfeição de Cristo. Mas será que está melhor do que antes? Está avançando em direção a Cristo em comparação com a última crise? Em caso afirmativo, anime-se. Deus está completando a obra em você. A cada manhã e a cada dia, as misericórdias são novas. E não só elas: você também.

DIA 23

Ó Senhor, tu examinas meu coração
e conheces tudo a meu respeito.
Sabes quando me sento e quando me levanto;
mesmo de longe, conheces meus pensamentos.
Tu me vês quando viajo e quando descanso;
sabes tudo que faço.
Antes mesmo de eu falar, Senhor,
sabes o que vou dizer.

SALMOS 139.1-4

DEPENDENDO DE QUEM VOCÊ É, ou talvez eu deva dizer, dependendo de como você vive, a frase “Deus conhece meu coração” pode ter diferentes conotações. Há quem use essa frase como justificativa para comportamentos ilícitos, imaginando que Deus vê as intenções puras de seu coração, mesmo que o comportamento obviamente seja impuro. É uma forma de anestesiar a consciência e endurecer o coração. É extremamente irônico, pois Cristo oferece seu sangue para purificar a consciência e amolecer o coração.

Para outros, essa declaração inspira medo. Afinal, eles também conhecem o próprio coração. Se o coração fosse uma casa, saberiam exatamente como é cada cômodo e quão diferente ele é do céu. A introspecção tem benefícios, mas pode cair facilmente em autodepreciação. Ver o pecado em nós mesmos pode produzir grande vergonha. Imagine, então, saber que o Deus Santo vê nossa vida e nosso coração com clareza transcendente. Para nos esconder de seu olhar penetrante, condenamos a nós mesmos ou enganamos a nós mesmos.

Leia novamente a passagem de hoje. Que sentimentos ela desperta? Insegurança? Proteção? Vulnerabilidade? Talvez tudo ao mesmo tempo, em diferentes graus? O projeto de nossa vida diária é projetar versões de nós mesmos como proteção. Criamos diferentes maneiras de nos guardar da autenticidade. Não queremos que outros saibam quem verdadeiramente somos. Quão fracos e inadequados nos sentimos. Quão bobos ou ridículos nos tornamos quando a alegria remove a máscara. Fazer parte de determinadas instituições religiosas permite que nos escondamos à vista de todos. Dependendo do dom espiritual que nos foi concedido, pode ser uma forma de edificar o corpo *e* construir um abrigo para nos escondermos dele. Se pregamos, cantamos, lideramos, organizamos, exortamos ou oramos bem o suficiente, outros podem concluir que somos anjos disfarçados de gente. Na verdade, porém, somos apenas pessoas que têm medo de ser livres.

Em longo prazo, esconder-nos de nós mesmos e da realidade de nosso pecado não é benéfico para nós nem para nosso próximo. O Senhor que conhece cada frase antes que seja pronunciada e cada ação antes que seja executada é o mesmo Senhor que formou seu interior e teceu você no ventre de sua mãe (Sl 139.13). Ele tem conhecimento absoluto a seu respeito e, ainda assim, ama você. A profundidade com que Deus vê você oferece segurança que ninguém mais pode dar. Em nossos esconderijos, permanecemos desconhecidos. E, no entanto, somos perfeitamente conhecidos por Deus. Quando tiver vontade de se esconder, lembre-se de Cristo, que cobre nossa vergonha para que não precisemos nos esconder dele. Quando tiver vontade de ser alguém diferente de quem você é, recorde-se de que cada um de nós é "feito de modo tão extraordinário" (Sl 139.14). Sim, o Senhor conhece seu coração e sabe tudo a seu respeito. Mas, quando conhecemos o coração *dele*, temos liberdade para ser autênticos e pertencer a ele.

DIA 24

Ainda que eu ande pelo vale da sombra da morte,
não temerei mal nenhum,
porque tu estás comigo;
o teu bordão e o teu cajado me consolam. [...]
Bondade e misericórdia certamente me seguirão
todos os dias da minha vida;
e habitarei na Casa do SENHOR
para todo o sempre.

SALMOS 23.4,6, NAA

QUANDO DAVI DIZ "NÃO TEMEREI mal nenhum", o que vem à mente? A palavra "mal" se destaca das outras? Tem uma pegada forte, não? É como se devesse representar apenas as mais densas trevas. O diabo, demônios e afins. Quando, porém, entendemos o mal simplesmente como o inverso do bem, a definição se expande.

Davi usa a palavra "mal" para falar tanto de perversidade quanto de adversidade. Escuridão e injustiça. Perigo e depressão. Maldade e traição. Davi caminha pelo vale da sombra da morte ciente da presença do mal e se recusa a temê-lo. Essa é uma coragem que muitos de nós não conhecemos. Tememos o mal mesmo quando não estamos nas sombras. Tememos o mal em nossas amizades. Por isso rejeitamos intimidade e tudo que se pareça com ela. Tememos o mal da traição, do julgamento, de decepcionar outros ou ser decepcionados por eles, de amor oferecido e amor tomado de nós.

Quando a ansiedade paira sobre nós como uma nuvem de preocupação, é porque tememos os males potenciais do futuro. Quando a raiva toma conta e rejeita a alegria, é porque tememos a falta de retribuição imediata de alguma forma de mal que somente *nossa* ira pode resolver. O rancor é uma expressão desse tipo de medo. Tememos que, se perdoarmos a ofensa, o ofensor terá liberdade de fazer o mal contra nós outra vez. Contudo, rancor, vingança e muros altos não nos protegem do mal. Antes, cultivam-no dentro de nós. Deixar de temer o mal não nos leva a viver em um mundo idílico, em que o mal se tornou impossível. Onde há pecadores, há mal.

Davi resistiu ao medo ao se refugiar na presença e na proteção de Deus. Você não precisa temer o mal quando o Deus sempre bom caminha ao seu lado. Davi diz: "Tu estás comigo; o teu bordão e o teu cajado me consolam". Esse é Davi, o menino pastor que matou um gigante com as mesmas armas que usava para proteger suas ovelhas. Os recursos que o Deus bom usou para nos proteger são os mesmos recursos que ele usará para lutar por nós. Muitos de nossos temores nascem da

superficialidade de nossa confiança naquele que está conosco. Carecemos de intimidade, de revelação, de conhecimento que nos dê convicção: *caminhamos com Deus*. E ele é bom. Somos convidados a crer que ele é o Senhor dos Exércitos e o Guerreiro celeste. Se ele é por nós, ninguém pode ser contra nós.

A coragem nasce da fé. E a fé não é sentimento ou mera afeição. É o compromisso de confiar no *bom* Pastor. Ter esperança nele nos abre, mais que qualquer coisa, para a liberdade de crer no melhor sobre nossa vida. Em vez de temer o mal, podemos esperar o bem. E saber que ele *certamente* nos seguirá todos os dias de nossa vida.

DIA 25

Nós somos a casa de Deus, se nos mantivermos corajosos e firmes em nossa esperança gloriosa. [...] Portanto, irmãos, cuidem para que nenhum de vocês tenha coração perverso e incrédulo que os desvie do Deus vivo. Advirtam uns aos outros todos os dias, enquanto ainda é "hoje", para que nenhum de vocês seja enganado pelo pecado e fique endurecido.

HEBREUS 3.6,12-13

QUANDO OS ISRAELITAS ENTRARAM no deserto e não encontraram água, sua boa-vontade secou. De acordo com o texto, brigaram com Moisés e disseram: "Por que você nos tirou do Egito? Quer matar de sede a nós, nossos filhos e nossos animais?" (Êx 17.3). Forte, não?

Pergunto-me quão diferente a história poderia ter sido se eles houvessem escolhido exortar uns aos outros a respeito da fidelidade de Deus. Reimaginemos a narrativa, com fé em vez de pecado em seu desfecho. Digamos que, depois de caminharem no deserto o dia todo, eles tenham acampado em Refidim e observado, naturalmente, o quanto estavam sedentos.

Ao olhar ao redor, não viram lagos, nem rios, nem poços, nem nada. O deserto não tinha nenhuma fonte natural de água. Seria um quadro desanimador se eles acreditassem que sua sobrevivência dependia de seu ambiente e não de Deus. Mas, como não era o caso, escolheram se recordar da fidelidade de Deus. Conversaram entre si sobre como, pouco tempo atrás, haviam tido sede no deserto de Sur e, ao encontrarem água amarga, que não podiam beber, Deus a havia tornado doce.

Então, digamos que, ainda em modo recordação, os israelitas escolhessem falar de outro episódio de sua história. Lembraram-se de quando, ao fugir do Egito e deparar com águas que não tinham como atravessar, Deus havia aberto o mar para que caminhassem em terra seca.

E, aproveitando o ensejo, digamos que continuassem a retrospectiva e se lembrassem da primeira praga que Deus tinha enviado sobre o Egito. A praga em que ele havia transformado em sangue rios, canais e todas as fontes de água do Egito.

Se Israel tivesse feito isso, se tivesse meditado tempo suficiente sobre cada um desses episódios e pensado mais na verdade do que em sua sede, teria acreditado que, se Deus podia amaldiçoar água, adoçar água e dividir água, certamente podia criá-la onde ela não existia. Mas isso não vem ao caso.

Se os israelitas houvessem exortado uns aos outros acerca da verdade, teriam encontrado forças para confiar em Deus. Mas não houve exortação, nem fé, nem menção de toda a glória que Deus já havia revelado. Apenas incredulidade. Por isso o autor

de Hebreus escreveu: "Advirtam uns aos outros todos os dias, enquanto ainda é 'hoje', para que nenhum de vocês seja enganado pelo pecado e fique endurecido" (Hb 3.13). Sem advertência, sem exortação, nossa tendência é deixar que os vários desconfortos de corpo, mente e ambiente influenciem nossa fé. Mas, quando há exortação na boca de um amigo, em um sermão ou nas palavras de um cântico, nosso coração é lembrado de que Deus é fiel. Desanimamos com facilidade. Precisamos do ânimo da verdade, repetida, sem falta, a cada dia.

O que aconteceria se você recebesse exortação no fundo do vale e no topo do monte? Na manhã de domingo e na tarde de terça? Você se lembraria dos feitos de Deus em seu favor no passado. E teria coragem de confiar que Deus pode abrir e abrirá caminhos onde eles não existem.

DIA 26

Mãos à obra, pois eu estou com vocês,
diz o SENHOR dos Exércitos.

AGEU 2.4

A PRESENÇA DE DEUS CONOSCO no ministério motiva missão. Pense em quantas comissões trazem a promessa de presença. A Jacó, Moisés, Josué, Jeremias, Deus diz, com efeito: "Vá e faça isso, pois eu estarei com você". Então, em Mateus 28.19-20, Jesus comissiona seus discípulos e diz: "Portanto, vão e façam discípulos de todas as nações [...]. Ensinem esses novos discípulos a obedecerem a todas as ordens que eu lhes dei. E lembrem-se disto: estou sempre com vocês".

Deixar de crer que Deus está conosco no ministério nos afeta de várias maneiras. Por um lado, a questão não é formar uma geração destemida o suficiente para ir às nações e fazer discípulos. Ela não terá medo de ir, mas, quando chegar, terá medo de ensinar tudo o que Deus ordenou. E eu entendo. Ninguém quer ser excluído ou odiado, deixar de ser curtido ou seguido nas redes sociais, deixar de ser amado ou admirado por causa de sua fé. Mas se o medo nos impede de ser fiéis ao texto e a Deus, lá no fundo não cremos que Deus está conosco.

Por outro lado, há uma frustração comum entre os fiéis. Plantaram as sementes quando puderam, no solo que foram chamados a arar, com os dons que receberam para usar. E os sinais de seu trabalho demoram a aparecer. Há resistência à verdade que eles anunciam. Rejeição às exortações que oferecem. Os fiéis desanimam quando o crescimento é lento, desconfiam da obra invisível realizada pelo Espírito abaixo da superfície. É Deus quem planta, pois, sem ele, nenhum ministério cria raízes. “Não importa quem planta ou quem rega, mas sim Deus, que faz crescer” (1Co 3.7).

Quantas tentações surgem por que cremos que estamos trabalhando sozinhos? *Deus está com você.* E, quando falo de Deus, refiro-me ao Criador dos céus e da terra. O Alfa e o Ômega, o princípio e o fim. O Deus supremo. O Rei da glória. O Juiz de toda a terra. O Deus transcendente e imutável. O Senhor dos Exércitos. Se *esse* Deus está conosco, devemos ser as pessoas mais confiantes do planeta.

Você entende o tipo de confiança que teria ao exercer o ministério se cresse nisso? É o tipo de confiança que produz poder. O poder necessário para um ministério eficaz e duradouro que obedece a *todos* os elementos da Grande Comissão. Com frequência, oramos por poder para *realizar* o ministério. Esquecemos, contudo, que também precisamos de poder para

permanecer no ministério. É preciso poder tanto para dizer a verdade em amor quanto para sofrer por ela. A fé na proximidade de Deus cria a resiliência necessária para continuar a liderar, amar, ofertar, evangelizar, servir, interceder e pregar.

Amados, lembrem-se de Paulo, que vivenciou sofrimentos típicos do ministério, como a solidão. Ele sabia, porém, que, na realidade, não estava só. "Na primeira vez que fui levado perante o juiz, ninguém me acompanhou. Todos me abandonaram. Que isso não seja cobrado deles. Mas o Senhor permaneceu ao meu lado e me deu forças" (2Tm 4.16-17). A mesma força está disponível para todos que foram comissionados pelo Senhor Jesus. Quando vamos, ele está conosco.

DIA 27

Seis dias depois, Jesus levou consigo Pedro, Tiago e João até um monte alto, para estarem a sós. Ali, diante de seus olhos, a aparência de Jesus foi transformada. Suas roupas ficaram brancas e resplandecentes, muito mais claras do que qualquer lavandeiro seria capaz de deixá-las.

MARCOS 9.2-3

NESSE MONTE EM MARCOS 9, o Senhor encarnado resolveu se transfigurar diante de João, Pedro e Tiago. Ao olhar para ele, viram-no como ele é. Cheio de glória e luz. Alvura e esplendor sobrenaturais. Um momento indescritível que se tornou ainda mais fantástico quando Moisés e Elias apareceram (Mc 9.4).

Seria de esperar que os discípulos permanecessem calados, cativados pela transcendência do momento. Então uma voz conhecida quebrou o silêncio: "Pedro exclamou: 'Rabi, é maravilhoso estarmos aqui! Vamos fazer três tendas: uma será sua, uma de Moisés e outra de Elias'. Disse isso porque não sabia o que mais falar, pois estavam todos apavorados" (Mc 9.5-6). Ah, Pedro, sempre falando na hora errada. Tão típico que talvez os outros dois discípulos nem tenham se surpreendido com o comentário. Pedro viu o Senhor andar sobre as águas e pediu para fazer o mesmo. E afundou três passos depois (Mt 14.22-31). Repreendeu Jesus (Mt 16.22). Declarou que permaneceria fiel a Cristo, mesmo que tivesse de morrer (Mt 26.35). Pouco depois, o negou (Mt 26.69-75). Pedro usava as palavras de forma tão turbulenta quanto as águas sobre as quais ele andou por um instante.

É provável que nos identifiquemos com a uniformidade das falhas de Pedro. Especialmente falhas que parecem corresponder tão bem a sua personalidade. Os introvertidos talvez não sejam tão impulsivos com suas palavras, mas enfrentam outras tentações. Nossa forma de existir — isto é, a maneira que fomos projetados, ou nossa personalidade — costuma influenciar nossas lutas. O criativo tem imaginação suficiente para fazer tempestade em copo d'água. O pensador é capaz de pensar, mas será que também é capaz de crer? Quantos intelectuais conhecemos que não deixam Deus entrar em sua mente só porque ele não cabe ali?

Conseguimos, portanto, nos identificar com os pecados que nascem da natureza de Pedro. Nem por isso, contudo, deixam de ser um peso. Temos a impressão de que alguns fracassos são tão peculiares a nossa personalidade que nos tornar diferentes parece ser a única maneira de nos sairmos melhor. É verdade. "Porque, como [alguém] imagina em sua alma, assim ele é" (Pv 23.7, NAA). Tornar-nos diferentes é difícil, mas não é impossível. Só está fora do alcance

daqueles que imaginam que sua transfiguração deve vir de dentro e não de fora.

No dia de Pentecostes, cento e vinte pessoas, Pedro entre elas, estavam reunidas. Um som vindo do céu encheu o lugar, línguas de fogo apareceram sobre todos e, de cada um, vieram frases do Espírito em línguas que eles não haviam aprendido. Enquanto falavam, foram alvo de zombaria. Quando ninguém mais se pronunciou, o impulsivo Pedro, que havia repreendido e negado, se levantou e anunciou a verdade. Mostrou-se o Pedro ousado e corajoso que Deus o havia comissionado para ser. E o texto diz: "Com muitas outras palavras [Pedro] deu testemunho" (At 2.40, NAA). A parte de Pedro que o havia levado a falhar foi exatamente a parte que Deus usou.

Nossa personalidade não é um obstáculo para a frutuosidade; o pecado é. A natureza abrangente do pecado influencia a aspereza de nosso discurso ou a intensidade de nossa luta. Mas quando, como Pedro, contemplamos a glória de Jesus e somos preenchidos com o Espírito de santidade, descobrimos Deus e a nós mesmos. O que antes nos condenava agora se torna útil para nossa missão. Graças a Deus porque, na redenção em Cristo, ele purificou e limpou não apenas o que somos, mas também *quem* somos.

DIA 28

Por isso, [Sara] riu consigo e disse: "Como poderia uma mulher da minha idade ter esse prazer, ainda mais quando meu senhor, meu marido, também é idoso?". Então o SENHOR disse a Abraão: "Por que Sara riu? Por que disse: 'Pode uma mulher da minha idade ter um filho'? Existe alguma coisa difícil demais para o SENHOR?".

GÊNESIS 18.12-14

O VENTRE DE SARA ESTAVA fechado havia tanto tempo que até mesmo a menção, pelo próprio Senhor, de que o filho prometido por Deus estava a caminho a fez rir.

Algumas declarações da Palavra de Deus podem parecer tão fantásticas que não sabemos se devemos rir ou chorar. Asserções sobrenaturais, boas demais para ser verdade e completamente insanas como: "Toda a glória seja a Deus que, por seu grandioso poder que atua em nós, é capaz de realizar infinitamente mais do que poderíamos pedir ou imaginar. A ele seja a glória na igreja e em Cristo Jesus por todas as gerações, para todo o sempre!" (Ef 3.20-21). Ou: "Agora, portanto, já não há nenhuma condenação para os que estão em Cristo Jesus"

(Rm 8.1). E: "Vejam como é grande o amor do Pai por nós, pois ele nos chama de filhos, o que de fato somos!" (1Jo 3.1).

Esses versículos são usados com frequência, citados regularmente e pregados energicamente, mas, por vezes, é difícil crer neles com sinceridade. Considere a superficialidade de nossas orações e como talvez reflitam incredulidade na capacidade de Deus de realizar infinitamente mais do que a mente imagina ou a boca pede em oração. Quantas vezes não deixamos a vergonha ter a última palavra em razão de alguma merecida culpa da qual Cristo já tratou? Quanto mais simples as promessas, mais dificuldade temos de crer.

Isso porque a dúvida parece mais prática do que a fé em Deus. A promessa de Deus de que ele daria um filho a Sara não era complicada. Ele disse a Abraão: "Voltarei a visitar você por esta época, no ano que vem, e sua mulher, Sara, terá um filho" (Gn 18.10). A longa vida de Sara com um ventre estéril e a realidade de seu envelhecimento a ponto de uma gravidez natural estar inteiramente fora de seu alcance levaram Sara a imaginar que essa gravidez também estivesse fora do alcance de Deus. Essa é outra característica da incredulidade. Projeção. Tornamo-nos conscientes de nossa incapacidade de mudar as circunstâncias ou a nós mesmos a ponto de imaginar que Deus deve ser como nós. Começamos a supor que Deus tem um ponto fraco e não pode fazer o impossível por nós ou que Deus não é bom e não deseja fazer o impossível por nós. Ainda assim, Deus é tão repleto de graça que nos diz a

verdade, principalmente a respeito de si mesmo. A renovação da mente é o caminho para que o enxerguemos e, com o tempo, enxerguemos a nós mesmos.

Deus nos diz o mesmo que disse a Abraão: *Existe alguma coisa difícil demais para o Senhor?* Deus é diferente de todos que conhecemos ou ainda vamos conhecer. Não tem limitações. Criou os céus e a terra. Tem todo o poder. É inteiramente soberano. Sempre forte, nunca exausto. Tenho certeza absoluta de que há em sua vida alguma coisa à qual essa verdade precisa ser aplicada. Talvez seja a salvação de um membro da família, restauração de um casamento, libertação de um vício, cura para um ventre estéril, recursos para uma adoção, poder para perdoar, capacidade de fazer morrer seus pecados de estimação. Seja o que for, Deus pode fazê-lo. Não quer dizer, porém, que seu pedido é uma ordem para Deus. Ele é Deus. Tem o direito de agir como e quando bem entender. O desafio é este: crer que Deus é Deus. Em outras palavras, Deus pode responder orações impossíveis, e o Deus da impossibilidade pode nos dar fé impossível para continuarmos a confiar nele sempre, quer ele nos dê o que pedimos quer não.

Existe alguma coisa difícil demais para o Senhor?

DIA 29

Estejam atentos! Tomem cuidado com seu grande inimigo, o diabo, que anda como um leão rugindo à sua volta, à procura de alguém para devorar. Permaneçam firmes contra ele e sejam fortes na fé. Lembrem-se de que seus irmãos em Cristo em todo o mundo estão passando pelos mesmos sofrimentos.

1PEDRO 5.8-9

NÃO ESTOU DIZENDO QUE o diabo e demônios estão escondidos debaixo de cada pedra e à espreita em cada canto, mas eles colocam seus dedos engordurados em tudo a que têm acesso. Deus nos livre de esquecer que temos um inimigo real que busca ativamente destruir nossa vida e tudo o que faz parte dela.

Paulo instruiu a igreja de Corinto a perdoar um transgressor "para que Satanás não tenha vantagem sobre nós, pois conhecemos seus planos malignos" (2Co 2.11). O perdão foi um ato de guerra espiritual. Reter amor criaria uma oportunidade para que as trevas se infiltrassem no meio deles. Paulo desafiou a igreja, pois não era ingênuo nem alheio à realidade dos demônios e ao fato de que se aproveitam de qualquer situação. Paulo não era ignorante acerca dos planos de Satanás. E quanto a nós? Quando somos seduzidos e tentados a cobiçar ou amaldiçoar, atribuímos a tentação *apenas* a nossa carne, e não, também, àquele que se aproveita das fraquezas de nossa natureza?

Ultimamente, o mundo anda um tanto cáustico. É fácil culpar a violência das discussões políticas e nossa tendência natural a certo tribalismo, uma perversão da verdadeira comunidade. Também é fácil esquecer que o diabo é inimigo da paz. De onde vem o pensamento: "Deus não me ama"? Se mentiras fossem filhos, Satanás seria seu pai (Jo 8.44). Quando a inveja nos chama pelo nome e os ciúmes sabem onde moramos, será que consideramos de onde vêm? A Bíblia o faz: "Mas, se em seu coração há inveja amarga e ambição egoísta [...] essas coisas não são a espécie de sabedoria que vem do alto; antes, são terrenas, mundanas e demoníacas" (Tg 3.14-15).

Talvez, só talvez, sejamos tão racionais que nos tornamos desarrazoados. Ser ignorantes das ciladas do diabo é totalmente desarrazoado, e essa ignorância é, aliás, uma de suas ciladas. Você não resiste ao inimigo quando esquece que ele existe. Não luta contra o diabo quando não crê que ele é real. Quando você abre a cortina e deixa a luz entrar, vê que carne e sangue nunca foram, efetivamente, os inimigos. Há governantes e autoridades, "grandes poderes neste mundo de trevas" e "espíritos malignos" com ódio concentrado contra o povo de Deus (Ef 6.12). Como criaturas formadas

inicialmente por Deus, os demônios são criativos e precavidos em sua abordagem a nós.

Cristão, sua batalha contra o mal é uma luta de resistência. Resista, e o diabo fugirá (Tg 4.7). A fé nos dá poder e motivação para resistir. Fé no mesmo Jesus que "desarmou os governantes e as autoridades espirituais e os envergonhou publicamente ao vencê-los na cruz" (Cl 2.15). Sua fé é sua arma contra o inimigo de todo bem. "Em todas as situações, levantem o escudo da fé, para deter as flechas de fogo do maligno" (Ef 6.16). Sim, resistir ao maligno pela fé por vezes pode ser como calçar sapatos que não foram feitos para nossos pés e entrar em uma guerra que não temos forças para vencer. Mas não precisamos nos preocupar. Esse conflito cósmico não durará para sempre, pois o Deus da paz está chegando. Os sapatos em seus pés não são seus, mas você terá vitória sobre o mal como se fossem. "Em breve o Deus da paz esmagará Satanás sob os pés *de vocês*" (Rm 16.20, grifos meus). Amém.

DIA 30

Se, contudo, houver algum israelita pobre em suas cidades
quando chegarem à terra que o SENHOR, seu Deus, lhes dá,
não endureçam o coração e não fechem a mão para ele.
Ao contrário, sejam generosos e emprestem-lhe o que for necessário.

DEUTERONÔMIO 15.7-8

OUTROS PRECISAM DE VOCÊ: conhecidos, filhos, amigos, cônjuge, companheiros de ministério, e por aí afora. Se você detesta essa ideia, lembre-se de Deus. Durante o breve tempo dele na terra e para sempre no céu, alguém sempre precisou e precisará dele. Nós precisamos dele, "pois nele vivemos, nos movemos e existimos" (At 17.28). A atividade de nossos pulmões e membros e a vida em nós dependem de Deus. Por mais produtivos que sejamos na missão para a qual fomos comissionados, o crescimento pertence a Alguém que nos transcende.

A graça concedida para *realizarmos* é a mesma graça provida para *sermos*. Na existência e no chamado há uma necessidade inata. Jesus disse a esse respeito: "Sem mim, vocês não podem fazer coisa alguma" (Jo 15.5). Isto é, *nada* pode ser feito se Jesus não o fizer. Os motivos pelos quais, por vezes, não gostamos de ser necessitados e necessários são tão variados quanto o céu de outono. Não causaria surpresa encontrar debaixo disso tudo um reflexo de Adão. O solo precisava das mãos dele. As mãos dele precisavam da ajuda de Eva. Depois da queda, eles continuaram a ser necessitados, mas sua percepção de si mesmos, um do outro e do mundo se alterou. Não tinham mais sabedoria e pureza para discernir corretamente suas necessidades.

Uma consequência disso é o impulso de viver de forma independente, de escolher autossuficiência em lugar de comunidade. Dizemos coisas como: "Não preciso de ninguém". Portanto, se algum dia alguém precisa de nós, então, dependendo de nossa família de origem, nossa propensão talvez seja criticá-lo por não idolatrar a independência como nós fazemos. Com isso, rejeitamos o chamado para cultivar e cuidar de algo além de nós mesmos. E que ninguém pense em precisar de nosso amor, sacrifício, tempo, sabedoria. Nessas horas, nosso irmão Caim ressuscita em nós e diz: "Por acaso sou responsável por meu irmão?" (Gn 4.9).

O que impressiona no ministério de Jesus não é apenas como ele atendeu às necessidades de outros, mas também sua disposição interior antes de fazê-lo. "Jesus andava por todas as cidades e todos os povoados da região, ensinando nas sinagogas, anunciando as boas-novas do reino e curando todo tipo de enfermidade e doença. Quando viu as multidões, *teve*

compaixão delas, pois estavam confusas e desamparadas, como ovelhas sem pastor" (Mt 9.35-36, grifos meus). As pessoas *precisavam* das boas-novas e de cura para várias enfermidades e aflições físicas. Ciente disso, Jesus foi ao encontro delas porque *se importava*. As partes mais entranhadas do ser de Jesus, como o amor de uma mãe por seu filho, faziam Jesus ir ao encontro das pessoas onde elas estavam.

Portanto, parte da aceitação do fato de que outros precisam de nós, qualquer que seja nosso chamado, consiste em identificar nossa própria necessidade de compaixão. Uma vez que a recebemos, podemos oferecê-la.

DIA 31

[Jesus] perguntou: "Vê alguma coisa?". Recuperando aos poucos a vista, o homem respondeu: "Vejo pessoas, mas não as enxergo claramente. Parecem árvores andando". Jesus pôs as mãos sobre os olhos do homem mais uma vez, e sua visão foi completamente restaurada; ele passou a ver tudo com nitidez.

MARCOS 8.23-25

POUCO ANTES DISSO, OS DISCÍPULOS haviam sido confrontados por Jesus com sua falta de percepção. Haviam se esquecido de levar comida na viagem e discutiram esse lapso entre si, em vez de descansar naquele que estava com eles no barco. Jesus reconheceu que o comportamento deles vinha da incredulidade (chamada "fermento"). Deu testemunho de si mesmo e lembrou-os das muitas pessoas que ele havia saciado com apenas um pouco de alimento. Então, perguntou: "Vocês têm olhos, mas não veem?" (Mc 8.18).

Por ironia, uma vez que o barco chega a seu destino, é trazido para Jesus um homem que sofre de cegueira. Jesus deixa o barco com aqueles que veem, mas não veem. Encontra alguém para quem a cegueira não é metafórica. Em um procedimento um tanto estranho para nossa cultura, Jesus aplica saliva aos olhos do homem e põe as mãos sobre ele. Então, quando Jesus pergunta ao homem se ele consegue ver alguma coisa, o homem responde que vê pessoas, mas que parecem árvores. Em seguida, o texto diz: "Jesus pôs as mãos sobre os olhos do homem mais uma vez, e sua visão foi completamente restaurada; ele passou a ver tudo com nitidez" (Mc 8.25). A repetição da imposição de mãos não se deve a uma insuficiência de Jesus. Não nos esqueçamos de que, por meio dele, todas as coisas foram criadas, e sem ele nada foi criado (Jo 1.1-3).

A cura dupla não tem por objetivo nos tentar ou angustiar nosso coração com a ideia de que talvez, só talvez, Jesus não faça tudo com excelência. Ela é uma parábola prática. O homem cego representa os discípulos que têm olhos, mas não veem. Haviam testemunhado milagres, ouvido sermões, contemplado a divindade, mas, ainda assim, as pessoas pareciam árvores e Jesus não estava nítido. A falta de entendimento só podia ser superada pela graça, pela disposição e paciência de Jesus de curar, e curar novamente, até que finalmente *vissem*.

A vida cega os filhos de Adão. Ou talvez seja melhor dizer que o orgulho nos cega. Quando somos norteados por ele, vemos o que está na superfície, mas não enxergamos o que está abaixo. "Pensem nas coisas do alto, e não nas coisas da terra" (Cl 3.2). Esse é o princípio em questão. Há sempre mais para ver, desde que dependamos menos de nossos olhos, intelecto

e sabedoria e mais da graça de Deus. Se ele não completar a obra, tornar humilde nosso coração e revelar sua glória repetidamente, nós nos contentaremos em ver árvores em vez de pessoas. O mundo em vez do céu. Dinheiro em vez de Javé-Jiré. As ofensas de nosso próximo em vez da cruz que tratou delas.

As Escrituras nos fazem a mesma pergunta que Jesus fez para o homem quase cego: "Vê alguma coisa?". Nossa resposta revelará quão nítida ou embaçada está nossa vista para que, por meio de nossa confissão, Deus possa aumentar nossa profundidade espiritual e nosso entendimento de seu Filho. Precisamos que Jesus ponha as mãos sobre nós repetidamente até o dia em que, por fim, o veremos como ele é.

DIA 32

Ao ouvir isso, Jesus lhes disse: "As pessoas saudáveis
não precisam de médico, mas sim os doentes.
Não vim para chamar os justos, mas sim os pecadores".

MARCOS 2.17

SABE QUAL ERA A DIFERENÇA entre os pecadores assentados à mesa e os pecadores apontando para a mesa? Deus tinha vindo para salvar todos eles, mas apenas um grupo sabia que precisava dele.

Deixe-me explicar:

> Mais tarde, Levi ofereceu um banquete em sua casa, em honra de Jesus. Muitos cobradores de impostos e outros convidados comeram com eles, mas os fariseus e mestres da lei se queixaram aos discípulos: "Por que vocês comem e bebem com cobradores de impostos e pecadores?". Jesus lhes respondeu: "As pessoas saudáveis não precisam de médico, mas sim os doentes. Não vim para chamar os justos, mas sim os pecadores, para que se arrependam".
>
> Lucas 5.29-32

Jesus assentado com pecadores. Controvérsia e misericórdia de proporções monumentais. Essas pessoas, contaminadas e impuras, pecadoras e profanas, teriam caído mortas na sala do trono, mas, naquela noite, o Santo assentou-se e comeu com elas.

Os fariseus e escribas eram tão impuros quanto os "cobradores de impostos e pecadores". A diferença era que ocupavam cargos importantes e vestiam roupas de suntuosidade enganosa. A olhos sem discernimento, os mestres da lei e os escribas eram inequivocamente santos. Trajavam a última moda de expiação. Presentes nas sinagogas, eruditos das Escrituras e, supostamente, obedientes à Lei. Mas Jesus sabia o que e quem eles eram, mesmo que ninguém mais soubesse. Disse a respeito deles: "São como túmulos pintados de branco: bonitos por fora, mas cheios de ossos e de toda espécie de impureza por dentro" (Mt 23.27).

A hipocrisia engana todo mundo, menos Deus. As boas-novas teriam sido maravilhosas se eles houvessem crido na verdade. A verdade sobre a Lei (inclusive como a haviam transgredido), sobre os Profetas e sobre Aquele que estava diante deles como cumprimento de ambos. Consideravam-se saudáveis, mas sua mente era doentia. Imaginavam-se limpos, mas careciam de purificação.

Em nossos dias, não faltam pessoas com esse mesmo espírito. Conhecem as Escrituras e têm famílias que também as conhecem. Escolhem pecados menos chamativos. Sabem

falar de coisas espirituais, conhecem sua linguagem de cor. E, talvez, você seja assim também. Se alguma vez você concluiu que há mérito em quem você é ou no que você faz, isso é uma ilusão. E os iludidos costumam ter uma opinião tão favorável de si mesmos que, cheios de orgulho e hipocrisia, caminham para a morte a cada dia enquanto Deus, suas mãos dilaceradas por pregos, os espera de braços abertos.

É interessante que os "pecadores óbvios" podem estar mais próximos do reino do que quem cresceu em seus arredores. Fariseus e cobradores de impostos estavam debaixo da mesma ira. Caminhavam para o mesmo destino, pois o salário de todo pecado, secreto ou ostensivo, sutil ou evidente, é a morte (Rm 6.23).

Mas, pela graça de Deus, Jesus estava ali, na terra, encarnado, entre os pecadores, para que pudessem ser justificados diante do Pai. Se Jesus tivesse vindo para os perfeitos, teria vindo só para si mesmo. Por amor, ele veio para os enfermos. Eles são e sempre serão os que precisam dele e que *sabem* disso.

DIA 33

Quando soprava a brisa do entardecer, o homem e sua mulher ouviram o Senhor Deus caminhando pelo jardim e se esconderam dele entre as árvores.

GÊNESIS 3.8

NOSSOS PRIMEIROS PAIS se esconderam de Deus, e nós, que herdamos seu comportamento, fazemos o mesmo. Quando ouviram Deus caminhando pelo jardim, olharam em volta, encontraram uma árvore e a transformaram em esconderijo. Quando nosso coração se endurece em algum aspecto e o som da voz de Deus ressoa nas Escrituras, ou pelo Espírito, ou por uma pessoa dentro da qual ele habita, sempre nos escondemos. As árvores que encontramos são tão diversas quanto os pecados que nos levam até elas. Se boas obras fossem um olmo, buscaríamos refúgio à sombra dele. Se o ministério fosse um pinheiro, encontraríamos pecadores de sobra atrás dele.

A boa notícia é que, não importa quão longe vaguemos ou quantos montes subamos, não temos como nos esconder de Deus. O salmista diz: "É impossível escapar do teu Espírito; não há como fugir da tua presença. Se subo aos céus, lá estás; se desço ao mundo dos mortos, lá estás também" (Sl 139.7-8). O orgulho é a única coisa que nos leva a imaginar que somos invisíveis para Deus. Talvez seja porque conseguimos nos esconder tão bem de outros a maior parte do tempo. E, evidentemente, houve aquela ocasião em que alguém bateu à porta, um pecado foi revelado, uma pergunta levou à confissão que não queríamos fazer. Até mesmo esses momentos, porém, foram dirigidos pelo Deus que sabia e que revelou. Ele queria que o pecado, por mais doloroso que fosse, viesse à luz para que fôssemos libertos. "Quem oculta seus pecados não prospera; quem os confessa e os abandona recebe misericórdia" (Pv 28.13).

Quem sabe esconder-se de pessoas sinalize uma tentativa de esconder-se de Deus. No caso de Adão e da mãe de todos os viventes, a árvore se tornou mais que uma razão para não confessar. Tornou-se, também, mediadora insuficiente. Eles conheciam a advertência: "Se comer desse fruto, com certeza morrerá" (Gn 2.17). E eles imaginaram que uma árvore, criada por Deus como eles, poderia protegê-los de julgamento. Trataram a árvore como o sangue no batente da porta; a morte veria a árvore e passaria por sobre eles.

Lamentavelmente, pouco mudou. Ainda inventamos maneiras de tratar do pecado, de nos esconder atrás disso ou daquilo para nos proteger da ira de Deus. A consciência dá

testemunho da verdade e, como a mão sobre a boca honesta, nós a suprimimos por todos os meios necessários. Mas, para aqueles que têm ouvidos para ouvir, esta é a mensagem: a salvação não veio por intermédio de um Salvador criado. Uma coisa criada é um messias insuficiente. O único que pode nos justificar diante de Deus é Deus. O Deus que se tornou maldição em um madeiro para que todos que creem nele possam ser perdoados (Gl 3.13). Ele fez uma promessa que árvore nenhuma jamais poderia cumprir. E, portanto, em vez de nos escondermos atrás de alguma árvore de nossa preferência, escolhemos dizer para Deus o que gerou o desejo de nos esconder. Pois, "se confessamos nossos pecados, ele é fiel e justo para perdoar nossos pecados e nos purificar de toda injustiça" (1Jo 1.9).

DIA 34

O sábio conquista a cidade dos fortes e
derruba a fortaleza em que eles confiam.

PROVÉRBIOS 21.22

FORTALEZAS SÃO CONSTRUÍDAS para serem refúgios em caso de invasões. Proteção de qualquer inimigo que tenha resolvido quebrar a paz. É boa ideia fortificar uma cidade, pois nela vivem mulheres que riem e homens que amam. Bebês que engatinham e se metem em todos os cantos. Tudo isso merece ser protegido.

Algumas fortalezas eram feitas de muralhas que cercavam um local. Um exército não podia atacar uma cidade sem elaborar um plano para atravessar, escalar ou evitar a fortaleza. Derrubar a fortaleza era, literalmente, metade da batalha. Se os muros caíssem, mulheres que riam, homens que amavam e bebês que engatinhavam estariam tão vulneráveis quanto a cidade que haviam considerado segura.

Essa palavra, *vulnerável*, desencadeia tanta coisa. Um inimigo que nos recusamos a acolher, mas que, na verdade, é necessário. Digo isso porque, em vários aspectos, você é sua cidade. Dentro de você há riso e amor, instabilidade e imaturidade. Nada mais natural do que desejar proteger essas coisas. A certa altura de sua vida, talvez até neste momento, seu projeto central foi ajuntar tijolos ou pedras, o que fosse mais apropriado, e empilhá-los ao redor da cidadezinha que você chama de "eu". Alguns tijolos foram assentados da primeira vez que você experimentou desamor. Outros foram acrescentados quando a frase "Você não pode depender de ninguém além de si" entrou em sua mente e se estabeleceu ali. Essa ideia era um inimigo que se fez passar por amigo. Pecados dentro de você e contra você inspiraram a construção de sua fortaleza.

Em uma carta de Paulo à igreja em Corinto, vemos que alguns encrenqueiros, ou vários deles, estavam questionando a autoridade e a autenticidade do apóstolo. Suspeitas de que ele não fosse sincero e não houvesse sido enviado colocariam em dúvida, também, a verdade que ele anunciava. As ideias, os motivos e os argumentos contra Paulo eram a fortaleza. Ou seja, fortalezas são feitas de palavras, frases, parágrafos, histórias fantasiosas em que a mente e o coração acreditam. Cada palavra é um tijolo, cada tijolo é uma distorção da verdade, cada muralha construída precisa ser derrubada por uma estratégia divina. Uma arma sobrenatural, como Paulo diz: "Usamos as armas poderosas de Deus, e não as armas do mundo, para derrubar as fortalezas do raciocínio humano e acabar com os falsos argumentos. Destruímos todas as

opiniões arrogantes que impedem as pessoas de conhecer a Deus. Levamos cativo todo pensamento rebelde e o ensinamos a obedecer a Cristo" (2Co 10.4-5).

Quando uma fortaleza é construída na mente, o que está em jogo é a presença do conhecimento de Deus ali. A fortaleza existe como proteção, para que nada perigoso entre; contudo, ela é exatamente o que impede a entrada do conhecimento de Deus. Pelo poder do Espírito, derrube as fortalezas com a verdade sobre Cristo revelada nas Escrituras. Todos os tijolos precisam ser removidos para que Cristo, o Rei da glória, possa entrar.

DIA 35

A mulher de Ló, porém, olhou para trás enquanto
o seguia e se transformou numa coluna de sal.

GÊNESIS 19.26

QUANDO JESUS DIZ QUE devemos nos lembrar de algo, nossa memória tem de prestar atenção. "Lembrem-se do que aconteceu à esposa de Ló", ele disse em Lucas 17.32. Você lembra? Ela se casou com o sobrinho de Abrão. Aquele que morava onde os anjos batiam à porta e onde homens que respiravam lascívia se reuniam como uma comunidade de casas mal-assombradas. Os anjos foram até Ló em uma missão de misericórdia. A mão de Deus estava erguida contra a cidade. O julgamento viria no dia seguinte. Abraão tinha intercedido e, em resposta, Deus tinha enviado seus anjos para advertir e resgatar aqueles por quem Abraão tinha orado e para julgar os condenados. A porta da salvação estava aberta para Ló e toda a sua família. Seus genros a rejeitaram, e Ló demorou a crer. Contudo, a misericórdia também é repetitiva e, tomando pela mão Ló, suas duas filhas e sua esposa (lembra-se dela?), os anjos os tiraram às pressas da cidade e rumaram para a liberdade.

Quando estavam saindo, os anjos advertiram mais uma vez: "Corram e salvem-se! Não olhem para trás nem parem no vale! Fujam para as montanhas, ou serão destruídos!" (Gn 19.17). Por mais simples que fosse essa instrução, não deve ter sido fácil segui-la. Coisas incandescentes desceram do céu, como um chamejante martelo de juiz. A condenação era absolutamente justa; era o que haviam escolhido. O que é rejeitar Deus, senão aceitar morte? O que é o olhar desejoso voltado para o Egito, senão prova de onde se encontram, verdadeiramente, nosso coração e nossa cidadania?

Enquanto julgamento descia sobre a cidade, ou logo depois, a esposa de Ló (lembra-se dela?) olhou para trás. E o texto diz que ela se tornou uma coluna de sal. A ironia é evidente. Recusou a vida que lhe foi oferecida, pois quis a "vida" que tinha. Justiça poética: o sal, um conservante comum, embalsamou a mulher que quis conservar sua vida. Ao tentar salvar a vida, ela a perdeu e se tornou um monumento de incredulidade. Um monumento verdadeiramente memorável.

Ao nos lembrarmos da esposa de Ló, recordamo-nos de algumas outras coisas: (1) É possível chegar ao limiar do livramento e perdê-lo. A esposa de Ló saiu *com* Ló, e anjos a seguravam pela mão. Ao deixar a cidade, ela havia escapado do julgamento; ao olhar para trás, foi sujeitada de imediato a julgamento diferente pelo mesmo Deus. (2) Abusar da

misericórdia é um jogo perigoso. É possível que a esposa de Ló tenha pensado na visita dos anjos (uma misericórdia); na advertência de julgamento (uma misericórdia); na urgência de salvá-los, apesar da resistência de Ló (uma misericórdia) e tenha concluído que talvez pudesse fazer o que não devia e, *mais uma vez,* receber misericórdia. (3) Jesus disse: “Lembrem-se do que aconteceu à esposa de Ló! Quem se apegar à própria vida a perderá; quem abrir mão de sua vida a salvará” (Lc 17.32-33).

DIA 36

Deus concedeu um dom a cada um, e vocês devem usá-lo para servir uns aos outros, fazendo bom uso da múltipla e variada graça divina. Você tem o dom de falar? Então faça-o de acordo com as palavras de Deus. Tem o dom de ajudar? Faça-o com a força que Deus lhe dá. Assim, tudo que você realizar trará glória a Deus por meio de Jesus Cristo. A ele sejam a glória e o poder para todo o sempre! Amém.

1PEDRO 4.10-11

CADA CRISTÃO FOI AGRACIADO com um dom. Alguns receberam a graça de abrir a Bíblia, discernir plenamente o que o Espírito diz e explicar essa mensagem para a edificação do povo de Deus. Outros foram agraciados com misericórdia. Veem os oprimidos, os quebrantados, os necessitados e trazem dentro de si a capacidade dada por Deus de enxergar por trás disso tudo portadores da imagem divina. Lutam por eles e não contra eles. Elevam-nos à liberdade de alma e de corpo. Líderes também recebem dons. Com poder que vem do céu, têm aptidão para ver aonde é preciso ir e que infraestruturas é preciso construir. Projetam visões e lavam pés.

Quando todos atuam conforme a graça que receberam, o corpo, metáfora para a igreja, pode caminhar sobre as águas. Cada mulher, homem e criança que Cristo redimiu é capacitado para que "todos alcancemos a unidade que a fé e o conhecimento do Filho de Deus produzem e amadureçamos, chegando à completa medida da estatura de Cristo" (Ef 4.13). Esse é o objetivo final de todo dom concedido a nós. Crescer em Jesus.

Qual você imagina que seja um inimigo desse objetivo? O que impede a igreja de ser plenamente o tabernáculo que Deus a projetou para ser? Os *pensamentos* que temos a nosso respeito. Cada dom tem um espinho. Quem tem o dom de ensinar derrama conhecimento e, em pouco tempo, o *dom* e a *graça* de ensinar são atribuídos à aptidão intelectual e à personalidade do mestre. Dissipa-se da mente o fato de que ele só ofereceu aquilo que antes recebeu. O santo misericordioso começa a imaginar que a misericórdia faz parte de sua natureza, e desenvolve-se dentro dele orgulho diabólico, invisível para todos exceto para o Senhor. Surge a tentação de testar Deus, como fizeram Ananias e Safira. Contribuir apenas como meio de honrar a si mesmos. Usar benevolência para encobrir ambição egoísta.

Quem é membro de uma igreja ou de uma organização cristã logo sente como os espinhos do líder ferem todos que ele toca. A graça de liderar convive lado a lado com a tentação de

controlar. De se deificar e transformar os membros do corpo de Cristo em servos de um ego inflado e de uma frágil percepção de valor próprio. Os pensamentos que temos a respeito de nós mesmos à luz de nossos dons determinam como e para que os usamos. Para glória nossa ou do Senhor.

A sabedoria do Espírito, operando por meio de Paulo em sua carta para Roma, também é para nós: "Porque, pela graça que me foi dada, digo a cada um de vocês que *não pense de si mesmo além do que convém. Pelo contrário, pense com moderação*, segundo a medida da fé que Deus repartiu a cada um" (Rm 12.3, NAA, grifos meus). O recato associado com frequência ao modo de vestir-se também é apropriado para a mente. Quando pensamos em determinado dom que recebemos como um balão cheio e prestes a alçar voo, temos de agarrá-lo e trazê-lo de volta à terra. A pessoa embriagada não consegue controlar suas palavras, ou qualquer outra coisa, mas a pessoa sóbria, que tem "moderação", é capaz de pensar e ver com clareza e de manter a si mesma e a outros em segurança. A mente sóbria funciona da mesma forma. Protege aqueles que exercem seus dons de se enxergar através de um prisma que transcende a realidade e protege o corpo de ser desnecessariamente ferido. A sóbria moderação começa com a resposta para esta pergunta: "O que vocês têm que Deus não lhes tenha dado?" (1Co 4.7).

DIA 37

Os discípulos [...] se esqueceram de levar comida. Tinham no barco apenas um pão. Enquanto atravessavam o mar, Jesus os advertiu: "Fiquem atentos! Tenham cuidado com o fermento dos fariseus e de Herodes". Os discípulos começaram a discutir entre si porque não tinham trazido pão.

MARCOS 8.14-16

LI UMA CITAÇÃO QUE FICOU gravada em minha memória: "O coração endurecido é especialmente problemático para os religiosos e os virtuosos (p. ex., Rm 2.5). O coração ignorante não é capaz de se endurecer. Somente o coração instruído pode se endurecer, e é por isso que as pessoas mais próximas de Jesus — os fariseus ([Mc] 3.5-6) e os discípulos (6.52; 8.17) — são as que correm maior perigo".[7]

Esse comentarista está falando de uma narrativa em Marcos 8. Jesus acabou de alimentar quatro mil pessoas com sete pães e rejeitou a exigência de um sinal dos céus feita pelos fariseus, como se multiplicação divina de pães não bastasse. Depois desses dois momentos, somos convidados a entrar no barco com os discípulos e participar da tensão do texto, segundo o qual os discípulos se esqueceram de levar pão suficiente para a viagem até Betsaida.

Vários homens e apenas um pão, uma versão em miniatura da situação que haviam acabado de vivenciar. Jesus percebe o que está fermentando dentro deles e entre eles e sabe que o problema não é de esquecimento, mas de percepção. Antes que digam alguma coisa, Jesus traz a situação à baila: "Fiquem atentos! Tenham cuidado com o fermento dos fariseus e de Herodes" (Mc 8.15). O fermento da incredulidade, posicionamento antagônico a Jesus em virtude da recusa em confiar nele, abriga-se não apenas no coração da elite religiosa ou dos poderes políticos, mas também entre os discípulos. Eles sabem que se esqueceram do pão. Querem e precisam se alimentar para manter as forças durante a viagem e, no entanto, sentem-se envergonhados de algo que Jesus não condenou. É o que todos fazemos ocasionalmente: hostilizamos a nós mesmos por sermos fracos em vez de perceber a oportunidade de confiar em Alguém além de nós.

Em outras palavras, os discípulos estavam no barco com um homem que havia alimentado cinco mil pessoas com cinco pães e quatro mil pessoas com sete pães, e recolhido sobras depois. E, no entanto, esses homens (muito menos que cinco mil) discutiram *o que* eles não tinham em vez de considerar *quem* eles tinham. Diante disso, Jesus pergunta: "Por que discutem sobre a falta de pão? Ainda não sabem ou não

entenderam? Seu coração está tão endurecido que não compreendem? Vocês têm olhos, mas não veem? Têm ouvidos, mas não ouvem? Não se lembram de nada?" (Mc 8.17-18).

Nós, pessoas de fé que observamos a mão do Senhor, vimos coisas além da conta. Vimos o Senhor suprir nossas necessidades. Ouvimos o Senhor falar conosco por meio de sua Palavra, de seu povo, da presença de seu Espírito em nosso coração. Dirigindo. Conduzindo. Advertindo. Consolando. Experimentamos sua paz e seu livramento. O milagre mais dramático ocorreu quando ele removeu nosso coração de pedra e nos deu um coração de carne. Ou quando ele disse: "Viva" e ingressamos pela graça em uma vida nova.

Que possamos resistir à tentação de ter olhos e não ver, de ter ouvidos e não ouvir. Andar na direção oposta à que foi revelada e declarada verdadeira é colocar a pedra de volta no lugar do coração de carne. Nós que estamos próximos de Jesus corremos o risco de ser mais endurecidos que outros, pois vimos sua glória repetidamente. Mas há uma boa notícia: Aquele que revelou sua glória também é Aquele que nos ajudará a compreendê-la. Tenha cuidado com o fermento dos fariseus.

DIA 38

Logo, ainda há um descanso definitivo à espera do povo de Deus.
Porque todos que entraram no descanso de Deus descansam
de seu trabalho, como Deus o fez após a criação do mundo.
Portanto, esforcemo-nos para entrar nesse descanso.
Mas, se desobedecermos, como no exemplo citado, cairemos.

HEBREUS 4.9-11

POR QUE É TÃO DIFÍCIL descansar? Talvez por que o descanso impõe certas limitações e nos leva a buscar propósito por outros meios além de nosso trabalho. Quando cultivamos algo, sentimo-nos realizados. Arar o solo, lançar as sementes, regar as raízes e ver a planta crescer. Alegramo-nos em poder contemplar algo que criamos e dizer que é "bom". Fomos chamados para isso. No sétimo dia, Deus descansou. Na Lei, ele ordenou: "Lembre-se de guardar o sábado, fazendo dele um dia santo" (Êx 20.8). Em Cristo, ele se tornou nosso descanso. Nele, o descanso do sábado não se restringe mais a um dia da semana; é vivenciado em uma pessoa.

Esse descanso tem uma implicação prática que os leitores modernos fariam bem em exercitar. Cessar, literalmente, de trabalhar. Cessar os esforços para obter a aprovação de Deus. Cessar qualquer tipo de trabalho (quando possível, por períodos curtos ou mais extensos). O chamado para descansar está sujeito ao chamado supremo, que é amar o Senhor, nosso Deus, de todo o coração, de toda a mente e de toda a alma. E, verdade seja dita, o trabalho tem a capacidade de desordenar nossas afeições e mexer com nossa mente. Começamos a imaginar que formamos o solo que aramos, encontramos a semente que plantamos, criamos a água que usamos e, portanto, que o crescimento que consideramos bom é para nossa glória. Tim Keller expressa essa realidade da seguinte forma:

> Também devemos pensar no sábado como um ato de confiança. Deus designou o sábado para nos lembrar de que ele está trabalhando e descansando. Praticar o sábado é uma forma disciplinada e fiel de recordar que não é você que mantêm o mundo em funcionamento, que provê para sua família, ou mesmo que faz avançar seus projetos de trabalho.[8]

O descanso ao qual resistimos é para nosso bem. É uma forma de administrarmos todo o nosso ser. Sentar-nos e simplesmente *pensar*. Ou orar. Ou meditar sobre a graça e suas manifestações em toda a bondade que experimentamos diariamente. O descanso nos redireciona. Pausas criam espaço para memórias. No silêncio e na solitude, podemos nos

lembrar de que o ser humano não vive só de pão. Na cessação do trabalho, quer por cinco minutos quer por cinco dias, recordamo-nos de que o maná veio sem a ajuda de Israel. No descanso, descobrimos que a provisão de Deus não depende de nossos esforços, mas da bondade dele. O descanso é, verdadeiramente, adoração.

DIA 39

Consideramos felizes aqueles que
permanecem firmes em meio à aflição.

TIAGO 5.11A

SABIA QUE A OBEDIÊNCIA tem um preço? Não é novidade para qualquer um que tenha investigado a vida dos fiéis. Um grupo específico, relacionado em Hebreus, mostra o preço da obediência e a pessoa que nos ajuda a permanecer obedientes.

Pense em Noé. Deus lhe disse que estava prestes a destruir tudo, exceto a família dele. Enquanto isso, todos em toda parte estavam convictos de algo diferente. Para eles, a justiça de Deus estava a milhões de quilômetros de sua consciência. Estavam ocupados com a vida e com o sossego que nasce de uma consciência cauterizada. Comiam, bebiam e se casavam. Noé, porém, não podia desfrutar dos mesmos luxos que o mundo ao redor. Estava ocupado trabalhando para salvar sua vida. Você não acha que foi preciso perseverança para crer na palavra de Deus, especialmente quando ninguém parecia preocupado com o julgamento divino? Não acha que ele viu a tranquilidade da vida dos outros e a cobiçou para si de vez em quando?

Pense, também, em Moisés, o libertador do povo de Deus. De acordo com a descrição de Hebreus, ele "abandonou o Egito" (Hb 11.27, NAA). Isso significa que ele distanciou as afeições de seu coração dessa nação e de seu modo de vida. Abandonar o reino deste mundo tem um preço. Há ira reservada para quem ousa dizer que Jesus é Senhor não apenas de nosso coração, mas de tudo em todo lugar.

Os fiéis pagam um preço. Mas sabe o que os faz aceitá-lo? Sabe o que ajudou esses santos a prosseguir? Nem um deles sequer permitiu que o preço de sua obediência os distraísse do Deus a quem estavam obedecendo. Noé obedeceu porque temeu a Deus (Hb 11.7). Moisés perseverou ao ver o Deus invisível (Hb 11.27). E, ao andar com sabedoria, devemos fazer o mesmo. Mantemos o olhar fixo em Jesus, o Deus eterno encarnado, crucificado pelo pecado, ressurreto e assentado à direita de Deus. Ele deve ser o foco de nossa reverência e de nossa atenção. Enquanto ele for o foco, todo preço valerá a pena.

DIA 40

> Então creram em suas promessas
> e cantaram louvores a ele.
> Depressa, porém, esqueceram-se do que ele havia feito;
> não quiseram esperar por seus conselhos.
> No deserto, os desejos do povo se tornaram insaciáveis;
> puseram Deus à prova naquela terra desolada.
>
> SALMOS 106.12-14

OS ISRAELITAS SE QUEIXAVAM tanto quanto nós. De qualquer coisa e de todas as coisas. Os filhos de Adão sabem ser específicos. Sabem identificar um problema e louvá-lo ao repetir seu nome. Essas queixas muitas vezes são viscerais — nascem de algo tangível, que sentimos — e não abstratas. Foi o caso quando os israelitas saíram do Egito e se queixaram de Moisés e seu irmão: "Se ao menos o SENHOR tivesse nos matado no Egito! [...] Lá, nós nos sentávamos em volta de panelas cheias de carne e comíamos pão à vontade" (Êx 16.3).

Entendo essa angústia. A fome é um sentimento irritante e cria a tentação de nos comportarmos como se nunca tivéssemos comido nada. Quando cedemos, o corpo nos leva a sentir falta de um lugar em que nem éramos felizes. Não nos esqueçamos de como é descrito o tempo que Israel viveu no Egito. Capatazes foram colocados sobre eles para afligi-los com fardos pesados. "Os egípcios os forçavam com crueldade a trabalhar pesado. Tornaram a vida deles amarga, obrigando-os a preparar argamassa, produzir tijolos e fazer todo o trabalho nos campos. Eram cruéis em todas as suas exigências" (Êx 1.13-14). Seu corpo e a fome que sentiam mudou sua forma de ver sua condição anterior. De acordo com os israelitas, a escravidão não havia sido amarga, mas caracterizada por fartura. Comiam o quanto desejavam, quando desejavam. Podiam ser escravos, mas pelo menos tinham a barriga cheia.

A carne faz o céu parecer o inferno, e o serviço a Deus parecer mais pesado que a escravidão ao pecado. Em algum momento de algum dia, você verá um rosto atraente, ou qualquer outra tentação que cruze seu caminho, e sentirá desejo de ir atrás. Se não houver resistência, a atração não se dissipará. E há momentos em que fazer algo morrer é a irritação. *Parecia* que no Egito — em que o faraó era o mundo, a carne e o diabo — quando você tinha fome, podia comer. Quando tinha sede, podia beber. Mas aonde esse caminho teria levado? Sim, você tinha "liberdade" de fazer o que bem entendesse, mas uma vez que o estômago cheio estava dentro de um corpo morto, será que, diante do julgamento divino, a refeição teria valido a pena? O apóstolo Paulo disse a mesma coisa para a igreja

em Roma: "Quando eram escravos do pecado, estavam livres da obrigação de fazer o que é certo. E qual foi o resultado? Hoje vocês se envergonham das coisas que costumavam fazer, coisas que acabam em morte" (Rm 6.20-21).

Você, tanto quanto eu, sabe a verdade sobre aqueles dias de outrora. Éramos escravos de um sistema e de nós mesmos. Agora, encontramos um novo e bondoso Senhor. Seu fardo é leve e seu jugo é suave. Um Rei acima de todos os governantes e reinos. Um Rei que se mostra manso e humilde. E a vida com ele é sempre melhor do que a vida no Egito.

Esse Senhor resgatou os chamados e os conduz por um deserto em que terão fome e sede. Quando isso acontecer, precisarão se lembrar da verdade sobre sua condição anterior. Mesmo quando comiam, nunca eram saciados. Mesmo quando bebiam, nunca eram livres. E agora, nessa nova terra, há pão do céu e água da rocha. Em Jesus, nossa fome é satisfeita e nossa sede é saciada.

DIA 41

Quem pode orientar o Espírito do SENHOR?
Quem sabe o suficiente para aconselhá-lo ou instruí-lo?
Acaso o SENHOR já precisou do conselho de alguém?
Necessita que o instruam a respeito do que é bom?
Alguém lhe ensinou o que é certo
ou lhe mostrou o caminho da sabedoria?

ISAÍAS 40.13-14

SEMPRE QUE DEUS FAZ uma pergunta para alguém nas Escrituras, eu me endireito na cadeira e presto atenção. Deus sabe todas as coisas. Portanto, quando faz uma pergunta significa que não está apenas sendo curioso. A curiosidade de Deus precisa ser colocada no contexto da doutrina da onisciência. Jó entendeu essa doutrina: "Mas quem pode dar lições a Deus, uma vez que ele julga até os mais poderosos?" (Jó 21.22). E Paulo se valeu dela: "Pois quem conhece os pensamentos do Senhor? Quem sabe o suficiente para aconselhá-lo?" (Rm 11.34). Se Deus não precisa de professores, nem de conhecimento adicional, nem de conselho externo, cada vez que ele faz uma pergunta, é por outro motivo. Se Deus sabe todas as coisas e não precisa de nada, o ato de indagação divina deve ser para o bem daquele a quem a pergunta é feita.

Com essa ideia em mente, a primeira pergunta registrada na história feita para o primeiro homem da história é interessante. Revela Deus. Depois da mordida que escureceu o mundo, o homem e a mulher ouviram o Senhor caminhando pelo jardim ao entardecer. Era algo que ele fazia sempre? Não sabemos. No entanto, sabemos que os seres humanos, outrora inculpáveis e agora culpados, "se esconderam dele entre as árvores" (Gn 3.8). Apesar disso, o Senhor chamou Adão. São as primeiras palavras do Senhor para Adão desde que, em Eva, lhe deu algo bom. O que trouxe o homem e a mulher a esse ponto, manchados de pecado e escondidos atrás de uma árvore, foi sua resposta a uma pergunta. E agora, uma pergunta também é feita a Adão, e não a Eva.

"Onde você está?", perguntou Deus (Gn 3.9).

Imagine isso. Deus, o Criador dos céus e da terra, aquele que conta as estrelas e sonda o coração, de quem nenhuma criatura está oculta, não importa atrás de quantas árvores, ministérios ou máscaras se esconda (Hb 4.13), perguntou a Adão onde ele estava. Talvez você imagine que Deus precisasse saber onde ele se encontrava. Que, ao caminhar pelo jardim, Deus estreitou os olhos, procurou à esquerda e à direita, pois tinha de ver antes de saber ou perguntar a fim de entender. Volto a dizer: o Deus transcendente não precisa de ninguém além de

si para saber tudo sobre todas as coisas. Portanto, considere essa pergunta novamente. Lembre-se de que outra forma de perguntar "Onde você está?" é dizer: "Por que você não está aqui?". Ou: "Por que há distância entre nós quando, antes, só havia amor?". Ou ainda: "Onde você está *em relação a mim?*".

Essa pergunta chega ao cerne daquilo que o pecado corrompe. Intimidade com Deus. A fim de responder com honestidade, Adão precisa se denunciar. Precisa se lembrar do fruto que tomou para si e dizer a verdade sobre a mordida que deu. A pergunta que Deus faz a Adão é mais um convite que uma indagação. Desde o início, portanto, Deus cria espaço para a confissão de pecado. Cria espaço para desistirmos da inutilidade de nos esconder dele. Se ele conhece todas as coisas, isso nos inclui. Nosso coração e o pecado que ele ama. Nossa mente e os pensamentos que ela abriga. Nosso corpo e como ele é tratado.

Que grande misericórdia, portanto, é Deus nos perguntar algo. É prova de seu amor. O Deus onisciente quer que conheçamos e sejamos conhecidos. É cabível supor que a curiosidade divina em favor do pecador continua ativa. Em nossos púlpitos e bancos de igreja. Naquilo que chamamos de "convencimento do pecado" ou na falta desse convencimento. Deus sabe exatamente onde você está. Mas será que você sabe? Ele não está perguntando para se informar, mas para fazer você se aproximar.

DIA 42

Portanto, não olhamos para aquilo que agora podemos ver; em vez disso, fixamos o olhar naquilo que não se pode ver. Pois as coisas que agora vemos logo passarão, mas as que não podemos ver durarão para sempre.

2CORÍNTIOS 4.18

CERTA VEZ, O REI DA SÍRIA enviou suas tropas contra Eliseu. Irado porque o profeta conhecia seus segredos, o rei ordenou que seu exército encontrasse Eliseu e o prendesse. Quando o sol se pôs, o exército cercou a cidade, como um predador atrás de um arbusto, à espreita para atacar a presa.

Na manhã seguinte, o servo de Eliseu acordou e olhou para fora. Ao redor da cidade havia carros com seus condutores e cavalos com seus cavaleiros. Naturalmente, o servo ficou apavorado e perguntou a Eliseu: "*O que faremos agora?*" (2Rs 6.15, grifos meus). Imagino que desejasse uma estratégia. Em resposta, Eliseu não apresenta uma técnica para resistirem ao ataque, nem sugere um lugar para se esconderem. Antes, tranquiliza o servo ao lhe informar que há realidades além daquela que ele está vendo.

Eliseu diz ao servo: "Não tenha medo! [...] Pois do nosso lado há muitos mais do que do lado deles" (2Rs 6.16). A resposta de Eliseu se fundamenta em uma realidade invisível. Em seguida, ele pede a Deus que a revele a seu servo. Afinal, o homem natural não é capaz de discernir as coisas espirituais a menos que o Deus invisível o ajude a enxergar o que há por trás do véu. "Ó SENHOR, abre os olhos dele, para que veja" (2Rs 6.17). Eliseu pede ao Senhor dos Exércitos celestiais que dê visão a seu servo. Deus atende e, quando o faz, o servo olha ao redor e vê outro exército, com cavalos e carruagens de fogo que cercam não a cidade, mas uma pessoa. A realidade invisível se torna visível. A porta é escancarada, como um abraço, um sorriso ou um cântico de louvor.

Pergunto-me qual foi o efeito dessa visão que revelou a verdade para o coração do servo. O texto não diz. Aquilo que ele viu foi em resposta ao que ele sentiu, e o que ele sentiu deve ter mudado depois daquilo que ele viu. Ao tomar conhecimento de quem e do que estava ao seu lado, aposto que ele recobrou as forças.

Infelizmente, a maioria de nós atravessa os dias como o servo. Naturalmente. Correndo de um lado para o outro como se a única realidade existente fosse aquela que somos capazes de enxergar. Ignorando a realidade espiritual de todas as coisas, como anjos e demônios. Ou o fato de que adoramos um Deus

encarnado, que tornou conhecido o Deus invisível. O Espírito de Deus está na terra, na igreja, dando-nos poder para fazer coisas impossíveis, como carregar nossa cruz ou amar nosso próximo. O esquecimento dessa realidade é, creio eu, o motivo pelo qual nos comportamos como se pertencêssemos a este mundo. Comentamos on-line sobre coisas que não importam. Fazemos fofoca em nome de Deus. Desperdiçamos nosso tempo com coisas da carne. Gastamos horas diante de telas, vendo coisas que não santificam. Oramos sem poder.

Temos de nos apropriar da oração de Eliseu: Deus, abra nossos olhos. Talvez então nos movamos com fé que não pode ser movida. Constantemente corajosos. Avassaladoramente amorosos. Com a mente voltada para as coisas eternas. Por certo, isso traria o céu à terra. Ou melhor, o céu já veio à terra. Em parte no passado, plenamente no futuro. Só não enxergamos.

DIA 43

Considero que nosso sofrimento de agora não é nada comparado com a glória que ele nos revelará mais tarde.

ROMANOS 8.18

MILHÕES DE PESSOAS EM TODAS as cidades de todos os países deste planeta conhecem bem a dor. Alguém em algum lugar as feriu, e para elas eu digo: usem o sofrimento. Usem a dor. Ela tem valor na proporção que reconhecemos suas qualidades redentoras.

Pense em José, em Gênesis. Rejeitado, caluniado, oprimido e esquecido por outros, mas visto por Deus. Foi exaltado como segundo depois do faraó e, em virtude de todo o mal que suportou, salvou uma nação inteira.

Pense no corpo de Ana, que se recusou a obedecer a seu plano. Ano após ano, ela permaneceu estéril, alvo das provocações da outra mulher em sua casa. Sua dor a levou a um santuário, onde ela suplicou ao Senhor dos Exércitos que lhe desse um filho e prometeu devolvê-lo. Deus viu sua aflição, lembrou-se de sua oração e lhe deu Samuel, profeta e sacerdote que conduziu o povo de Deus segundo a verdade.

Pense em Davi, pastor e rei perseguido pelo homem a quem procurou servir e, anos depois, por seu próprio filho usurpador. E, em meio ao temor e à traição, sabe o que ele fez? Escreveu cânticos para Deus e para o povo de Deus. Esses cânticos foram escritos em cavernas e em trevas e, no entanto, são Escrituras. Em meio ao trauma, as palavras de Davi foram inspiradas por Deus e, até hoje, desfrutamos os benefícios daquilo que ele compôs em sua maior angústia.

Pense, obviamente, em Jesus, nosso Senhor. Deus do céu, Criador de todas as coisas. Homem de dores. O Rei que "nossas enfermidades [...] tomou sobre si" (Is 53.4). O Todo-poderoso que "foi desprezado e rejeitado" (Is 53.3). O Santo que foi "ferido por causa da nossa rebeldia e esmagado por causa de nossos pecados" (Is 53.5). Você pergunta: Qual é o propósito da dor? As feridas dele nos curaram. O castigo que ele sofreu nos trouxe paz. Não há exemplo maior do quanto a dor pode ser redentora.

Ainda hoje, cada ramo que permanece produz fartura de uvas, uma videira de glória, mas somente quando o agricultor faz o trabalho de poda. A capacidade de Deus de redimir aquilo que aflige se concretizará no dia em que todos nós veremos o eterno peso de glória que todas essas aflições pequenas e momentâneas estão preparando para nós (2Co 4.17). Portanto, você que conhece a dor deste lado do céu, use-a.

DIA 44

Depois, porém, lembro-me de tudo que fizeste, SENHOR;
recordo-me de tuas maravilhas do passado.
Estão sempre em meus pensamentos;
não deixo de refletir sobre teus poderosos feitos.

SALMOS 77.11-12

EM 1953, UM HOMEM CHAMADO Henry Molaison foi submetido a uma cirurgia no cérebro para tratar epilepsia. Durante o procedimento, o médico removeu do cérebro de Henry uma parte que afetou sua memória. Especialmente sua memória de curto prazo.

Em uma gravação, um médico que estava realizando um estudo sobre cérebro e memória perguntou a Henry se ele se lembrava do que tinha feito no dia anterior.

— Não sei — Henry respondeu.

O médico fez outra pergunta:

— Você se lembra do que fez hoje cedo?

— Também não — disse Henry.

Então o médico perguntou se ele sabia o que faria no dia seguinte. E Henry respondeu:

— O que for benéfico.[9]

Seria de esperar que ele tivesse algum tipo de agenda informal. Que, pelo menos, dissesse que se levantaria e tomaria café. Telefonaria para a mãe. Levaria o cachorro para passear. Mas Henry não sabia o que faria no dia seguinte, pois não se recordava do que havia feito no dia anterior. Deu essa resposta porque a remoção daquela parte de seu cérebro afetou sua capacidade de formar novas memórias. E, uma vez que Henry não conseguia se lembrar do passado, não tinha contexto para imaginar o futuro. Sem memórias, Henry não tinha expectativas.

Quando pessoas como Abraão pensaram no sacrifício que teriam de fazer no futuro, lembraram-se da ressurreição no passado. Abraão se lembrou de que Deus tinha dado para ele, um homem de 99 anos, e para sua esposa, uma mulher de 90 anos, o poder de conceber. Foi, de modo bastante real, uma espécie de ressurreição, vida para corpos que estavam morrendo. As memórias de Abraão proveram um contexto para sua imaginação. Portanto, se Deus tinha feito um milagre no passado, podia fazer um milagre no presente. Isso é *fé*.

Quase todos nós temos dificuldade de crer que Deus cumprirá o que prometeu em sua Palavra, por meio de seu Filho. Talvez seja porque temos problemas de memória. Quão rapidamente esquecemos que ele fez os céus e a terra, que ele

abriu o mar e libertou seu povo da escravidão e que gerou vida em um ventre morto.

E, além de histórias bíblicas que aconteceram milênios atrás, esquecemos como ele foi fiel a nós, a nossa família, em nossa vida em tempo real. Como ele proveu para nós quando nem pedimos. Como nos protegeu de tempestades de todo tipo. Por isso, quando surge uma tribulação, tornamo-nos como Henry, incapazes de recordar o passado e, portanto, sem expectativas acerca do futuro.

A natureza imutável de Deus é uma âncora. Em nenhum momento da história e em nenhum momento do futuro Deus não será bom. Ou não será capaz de agir. Ele sempre foi e sempre será Deus fiel e justo, bondoso e poderoso. Só porque mudamos de ideia o tempo todo, não significa que Deus é igual a nós. Ele é hoje o mesmo Deus que era no passado.

E, portanto, penso que a disciplina espiritual que todos nós fazemos bem em cultivar é a disciplina da recordação. Acaso não é para isso que temos a Palavra de Deus? Para nos dar 66 livros de memórias sobre quem Deus é e como ele age? Para nortear nossa fé a fim de que possamos sempre confiar no Senhor, sem hesitar?

DIA 45

[Jesus] nunca pecou, nem enganou ninguém.

1PEDRO 2.22

AS ESCRITURAS DIZEM UM bocado de coisas sobre Jesus. Falam, por exemplo, de como ele usou palavras. Quando Jesus era menino, seus pais o encontraram no templo, sentado entre os mestres da lei, ouvindo e fazendo perguntas. O texto diz que todos que o ouviam se admiravam de seu entendimento e de *suas respostas*. Ele usou palavras sábias.

Quando Jesus foi conduzido pelo Espírito para o deserto em Mateus 4, uma das tentações específicas foi para que ele ordenasse que pedras se transformassem em pão. Jesus estava sendo tentado a usar seu poder divino para servir a si mesmo. Jesus respondeu a cada uma das tentações de Satanás com as Escrituras. Ele usou palavras de Deus.

Quando um homem possuído por demônio saiu de uma sinagoga, Jesus falou diretamente ao demônio e ordenou que saísse, e o espírito lhe obedeceu. Aqueles que viram o que havia acontecido, comentaram entre si: "Que *palavra* é esta?

Pois, com autoridade e poder, ele ordena aos espíritos imundos, e eles saem" (Lc 4.36, NAA, grifos meus). Ele usou palavras libertadoras.

Certo dia, quando Jesus estava dormindo dentro de um barco, o vento se intensificou e as ondas começaram a arrebentar sobre o barco, enchendo-o de água. Enquanto os discípulos acusaram Jesus de falta de percepção compassiva de suas necessidades, Jesus falou diretamente ao mar: "Silêncio! Aquiete-se!" (Mc 4.39). Acalmou o vento. Acalmou as ondas. Ele usou palavras pacificadoras.

Quando um jovem rico procurou Jesus e lhe perguntou como podia herdar a vida eterna, Jesus olhou para ele com *amor* e disse: "Ainda há uma coisa que você não fez. Vá, venda todos os seus bens e dê o dinheiro aos pobres. Então você terá um tesouro no céu. Depois, venha e siga-me" (Mc 10.21). O jovem rico foi embora triste, pois amava seu dinheiro mais que seu Criador. E Jesus sabia disso. Ele usou palavras severas.

Naquela noite em Lucas 22 em que Jesus estava em um jardim, ajoelhado no chão, suor escorrendo pelo rosto, tinha consciência tangível de que em breve, muito em breve, levaria a cruz e, nela, tomaria sobre si a ira de Deus. Essa ira justa não pertencia ao Filho, pois era a reação de Deus a nossos pecados. Não apenas pecados do corpo, mas pecados da língua. Cada palavra dura, odiosa, racista, opressora, desamável, sensual, manipuladora, cobiçosa, invejosa, arrogante, hipócrita e proferida para agradar outros que saiu ou sairá de nossa boca

exigia o santo julgamento de Deus. A fúria santa foi derramada em um cálice. E o Filho sabia que tinha vindo do céu à terra para esse momento. Sabia que o cálice seria derramado sobre ele. E, naquele momento, o que ele fez? Dirigiu suas palavras ao Pai. "Pai, se queres, afasta de mim este cálice. Contudo, que seja feita a tua vontade, e não a minha" (Lc 22.42). Ele usou palavras obedientes.

E então, quando, naquela cruz, depois que nossos pecados e respectivo julgamento foram colocados sobre o Filho inocente de Deus, antes de entregar seu espírito, Jesus proferiu as palavras que salvaram nossa vida: "Está consumado" (Jo 19.30). Ele usou palavras redentoras.

Filhos do Deus vivo, olhem para Jesus. Nele vemos o que significa usar nossas palavras para mostrar que Deus é glorioso e para honrar a glória nos portadores de sua imagem criados por ele.

DIA 46

Portanto, uma vez que estamos rodeados de tão grande multidão de testemunhas, livremo-nos de todo peso que nos torna vagarosos e do pecado que nos atrapalha, e corramos com perseverança a corrida que foi posta diante de nós. *Mantenhamos o olhar firme em Jesus*, o líder e aperfeiçoador de nossa fé. Por causa da alegria que o esperava, ele suportou a cruz sem se importar com a vergonha. Agora ele está sentado no lugar de honra à direita do trono de Deus.

HEBREUS 12.1-2 (GRIFOS MEUS)

AO PARTICIPAR DA MESMA corrida que o escritor de Hebreus, o que ajuda você a prosseguir? Espero que a resposta seja: Jesus. Não sei há quanto tempo você está na corrida, mas se seu foco é algo além de Cristo, não alcançará a linha de chegada.

Um verdadeiro ataque espiritual na forma de tentação diz para você que, a fim de perseverar em meio ao pecado, é preciso pecar. Se há frustração sexual no casamento, alguns escolhem pornografia em lugar de oração para lidar com decepções ou rejeições constantes. Alguns de nós desenvolvem amizades inapropriadas como forma de lidar com a solidão. Ou talvez sejam vícios como alcoolismo ou mesmo redes sociais, que entorpecem um coração exausto. Porém, digo para vocês o que João disse: "Filhinhos, afastem-se dos ídolos" (1Jo 5.21). Essa corrida nunca será fácil, mas o pecado que nos atrapalha e o peso que nos torna vagarosos devem ser colocados de lado, pois, quer nos demos conta disso quer não, tornam a corrida ainda mais difícil.

Infelizmente, na igreja de hoje, muitos estão correndo sem Jesus há tanto tempo que, na verdade, deixaram de correr. Que Deus sensibilize cada coração endurecido e cada consciência cauterizada. A única forma de correr bem é olhar para Deus com frequência. Como fazê-lo? Nós já sabemos, não é mesmo? Mas aqui vai uma recapitulação.

Há um livro chamado Bíblia. Ele é feito de outros 66 livros que apontam para Deus, o descrevem e o explicam. No ministério, muitas vezes a Bíblia depressa se torna uma simples ferramenta ou um mero recurso, mas esse texto tem vida. Ele nos diz coisas novas com as mesmas palavras. Leia-o para ver a bondade, a gentileza, a fidelidade e a beleza de Deus. Leia-o para se recordar do que Deus pensa a seu respeito e a respeito do mundo. Leia-o para se lembrar daquilo que veio antes de nós e daquilo que virá depois. Leia-o para ver a vida, a morte e a ressurreição de Cristo.

Mas não podemos ficar só na leitura. Também precisamos crer no que esse livro diz. Temos de sobra na igreja pessoas

capazes de tratar de passagens de forma exegética sem dar sinais de que as vivem de forma histórica. Precisamos crer na Bíblia. Precisamos crer no que Deus diz a respeito de si mesmo, revelado em seu Filho. E, ao continuarmos a nos apegar firmemente à verdade, ela nos sustentará até a linha de chegada.

DIA 47

Como ele próprio disse: "Habitarei e andarei no meio deles. Serei o seu Deus, e eles serão o meu povo".

2CORÍNTIOS 6.16

QUANDO TUDO ESTAVA BEM entre Deus e os seres humanos, havia unidade perfeita. Proximidade. Talvez o fato de Deus escolher caminhar pelo jardim quando soprava a brisa do entardecer, mesmo após a invenção do pecado, revele algo sobre essa curiosa intimidade. Depois da desobediência, uma vez que Deus é santo, mas Adão e Eva deixaram de ser, "o SENHOR Deus os expulsou do jardim do Éden" (Gn 3.23). Distância.

Passadas várias gerações, essa dinâmica de distância entre o Deus Santo e a humanidade fica evidente quando, de um arbusto em chamas, o Senhor se dirige a Moisés e, sem demora, o adverte: "Não se aproxime mais" (Êx 3.5). Deus se revela como Deus dos patriarcas de Israel, e Moisés se esconde, pois "teve medo de olhar para Deus" (Êx 3.6). Em outra ocasião, Moisés pede para ver a glória de Deus. O Senhor mostra suas costas e não seu rosto, *"pois ninguém pode me ver e continuar vivo"* (Êx 33.20, grifos meus). Distância.

No grande monte, quando Deus veio fazer uma aliança com um povo pecador, ele advertiu novamente: "Desça e alerte o povo que não ultrapasse o limite para ver o SENHOR. Do contrário, muitos morrerão" (Êx 19.21). Distância.

Lembre-se de Uzá. Quando a arca estava sendo precariamente transportada, os bois tropeçaram, e Uzá estendeu a mão e tocou na arca. "A ira do SENHOR se acendeu contra Uzá, e Deus o feriu por causa disso" (2Sm 6.7). Distância.

Uma história após a outra. Um livro após o outro. Entre Gênesis e Malaquias, encontramos o testemunho do povo de Deus, incapaz de ver e tocar Deus sem a ameaça e a aplicação de julgamento. O pecado é tão inatural, tão distinto do Rei da glória, que cria distância entre Deus e os seres humanos. Por escolha e por ordem.

Até que chegamos ao Evangelho de Lucas. O texto diz a respeito de Maria: "Chegou a hora de nascer o bebê. Ela deu à luz seu primeiro filho, um menino. *Envolveu-o em faixas de pano e deitou-o numa manjedoura*" (Lc 2.6-7, grifos meus).

Entenda o peso dessa realidade. Para que o bebê Jesus fosse envolto em faixas, Deus precisou ser *tocado*. Os pastores falaram a todos do Deus que eles tinham *visto*. A Palavra de Deus se tornou carne e habitou no meio do povo (Jo 1.14). Não é de admirar que Mateus tenha recorrido às palavras de Isaías quando disse: "Vejam! A virgem ficará grávida! Ela dará

à luz um filho, e o chamarão Emanuel, que significa 'Deus conosco'" (Mt 1.23). Imagine só! O Deus Santo se aproxima de nós. O Espírito de Deus habita em nós. Bondade e misericórdia de uma só vez.

DIA 48

Os apóstolos disseram ao Senhor: "Faça nossa fé crescer!".
O Senhor respondeu: "Se tivessem fé, ainda que tão pequena quanto um grão de mostarda, poderiam dizer a esta amoreira: 'Arranque-se e plante-se no mar', e ela lhes obedeceria".

LUCAS 17.5-6

A FÉ PODE MOVER MONTANHAS e demônios. Sabemos que, em muitos aspectos, a fé é um recurso. Pela graça, por meio da fé, fomos reconciliados com Deus. A fé nos parece útil quando lançamos nossos cuidados sobre Deus e lhe fazemos petições. O escritor de Hebreus poderia ter se estendido indefinidamente ao tentar explicar o poder da fé. E ao falar dos santos de outrora, que em virtude dela "conquistaram reinos, governaram com justiça e receberam promessas. Fecharam a boca de leões, apagaram chamas de fogo e escaparam de morrer pela espada. Sua fraqueza foi transformada em força. Tornaram-se poderosos na batalha e fizeram fugir exércitos inteiros" (Hb 11.33-34).

Mas, como eu disse no início, a fé pode mover montanhas e demônios. A fé é uma forma de resistência ao maligno.

Podemos cantar a plenos pulmões sobre pisar na cabeça do diabo, mas se não tivermos fé nossa luta será apenas conversa fiada, desprovida de poder. O apóstolo Paulo se refere à fé como parte da guerra espiritual: "Em todas as situações, levantem o escudo da fé, para deter as flechas de fogo do maligno" (Ef 6.16). É ridículo ter uma armadura, mas não ter escudo. O corpo todo se torna um anúncio em neon para a morte. Atrai-a para si com sua falta de proteção.

Demônios têm um milhão de flechas de fogo para atirar, todas voltadas contra um só alvo: sua fé. Não estão preocupados, primeiramente, com o casamento, ou mesmo com o ministério, a renda ou o intelecto da pessoa; atiram uma flecha em cada uma apenas como meio de atingir a fé que influencia esses âmbitos. Cada uma das flechas, ao ser atirada, é um desafio para a forma que o soldado vê Deus. Ele é bom? Está próximo? Ele me vê? Ele me ama? Ou mesmo gosta de mim? Ele agirá? Livrará? As Escrituras têm autoridade? Onde não há fé, essas flechas atingem o alvo e destroem tudo com seu fogo. Que motivo maior de satisfação Satanás teria do que uma igreja cheia de gente que canta sobre um Deus no qual não crê? E que prega sobre um texto que não honra? Talvez, só talvez, o verdadeiro motivo para a impiedade desta nação seja que nós temos soldados demais sem escudo, cristãos demais sem fé.

Felizmente, o escudo da fé não é conquistado, mas recebido. É uma dádiva do Rei. Portanto, mesmo que você tenha

largado seu escudo por um momento ou por um longo tempo, só precisa do equivalente a uma semente de mostarda de fé para voltar a empunhá-lo. O Autor e Aperfeiçoador de sua fé é digno de confiança; você pode crer nele e contar com ele. Creia nele e todos os projéteis cairão. Todas as flechas de fogo serão apagadas pelo escudo da fé, pois a fé move montanhas e demônios.

DIA 49

"Pai, se queres, afasta de mim este cálice. Contudo, que seja feita a tua vontade, e não a minha."

LUCAS 22.42

UMA COISA É SABER que Deus é capaz de realizar algo; outra é descobrir se ele está disposto a fazê-lo. Digo isso depois de ler sobre os três rapazes hebreus em Daniel 3. Quando desobedeceram à ordem de Nabucodonosor para adorar a imagem absurda que ele havia levantado, o rei os confrontou com a ameaça da fornalha ardente. Se, com sua insolência estrangeira, escolhessem permanecer em pé enquanto todos se curvavam e permanecer calados enquanto todos louvavam, o julgamento seria a transformação de corpos em cinzas. Isto é, os corpos deles.

Esses rapazes com esses corpos eram conhecidos por uma divindade que ninguém pode ver e viver. Tinham herdado histórias contadas e relembradas a respeito desse Deus, seu Deus, Javé. No exílio, é provável que repetissem aquilo que tinham ouvido sobre sua presença no arbusto, sobre a revelação de seu nome e, por fim, a libertação de seu povo com muitos sinais e maravilhas. Depois veio a aliança no deserto, a rebelião e o exílio. Mas Deus, seu Deus, não tinha mudado em nada.

Diante de um histórico desses com Deus, por que se preocupar com um rei narcisista e uma fornalha ardente? Deus, seu Deus, tinha vencido as potências políticas e os elementos naturais anteriormente. Logo, era mais do que capaz de fazê-lo outra vez. Mas será que o faria? Em resposta à ameaça que receberam, fincaram os pés no chão e declararam: "Se formos lançados na fornalha ardente, o Deus a quem servimos pode nos salvar. Sim, ele nos livrará de suas mãos, ó rei. Mas, ainda que ele não nos livre, queremos deixar claro, ó rei, que jamais serviremos seus deuses ou adoraremos a estátua de ouro que o rei levantou" (Dn 3.17-18). Tinham fé em duas direções. Fé no poder de Deus, isto é, em sua capacidade de livrá-los. E fé na liberdade de Deus de escolher para eles entre livramento e morte.

O contentamento com esta última é o teste para muitos. Podemos contar em milhões de mãos os corações que se endurecem porque a vontade de Deus não é a vontade deles. Sabemos que Deus pode curar, mas, quando ele não o fizer, continuaremos a lhe prestar culto? Sabemos que Deus pode abençoar de inúmeras maneiras, mas, quando ele escolher a bênção que dói, continuaremos a amá-lo?

Sei que é difícil de engolir, mas Jesus bebeu desse cálice até a última gota. Ele também confiou no Pai em duas direções. Sabia que, com um só clamor ao céu, doze legiões de anjos viriam socorrê-lo. Deus era capaz de afastar o cálice, e Jesus, mais que qualquer um, conhecia o poder de El-Shaddai. E, no entanto, ele disse o que fazemos bem em repetir: "Contudo, que seja feita a tua vontade, e não a minha" (Lc 22.42).

DIA 50

"Deixamos tudo para segui-lo."

MATEUS 19.27

DEUS FAZ TUDO COM EXCELÊNCIA, mas é especialista na arte da interrupção. Ele interrompeu a jornada de Paulo e a caminhada de Jacó. Interrompeu o orgulho de Nabucodonosor e o sacrifício prestes a ser oferecido por Abraão. Deus se tornou carne, habitou entre nós e continuou, como sempre, a interromper coisas. Os primeiros discípulos experimentaram essa realidade quando, em dias comuns e sossegados, Jesus entrou em sua vida e a transformou em algo diferente. Não em algo que não era vida, mas em vida como deveria ser. Vida com a presença dele.

Para os discípulos, a interrupção aconteceu com uma palavra: "Siga-me".

Sempre me pergunto em que tom ele falou. Sem ouvi-lo falar, não sei se foi urgente ou calmo, assertivo ou alguma outra coisa. Sei, porém, que não foi uma sugestão ou um pedido, mas uma ordem. Parecida com "Lázaro, venha para fora!".

E com "Haja luz". Quando Deus fala, coisas acontecem. E pessoas atendem. Ao som de sua voz, Simão e André, "no mesmo instante, deixaram suas redes e o seguiram" (Mt 4.20). Tiago e João deixaram seu barco e seu pai de imediato e o seguiram. Levi "se levantou, deixou tudo e o seguiu" (Lc 5.28). Não é estranho que a ordem de Jesus não tivesse instruções adicionais? Mas talvez, pela fé, eles soubessem o que essa ordem exigia deles. Cada um "deixou" algo. Suas redes, seu barco, seu pai, *tudo*. Posteriormente, Jesus lhes disse: "E todos que tiverem deixado casa, irmãos, irmãs, pai, mãe, filhos ou propriedades por minha causa receberão em troca cem vezes mais e herdarão a vida eterna" (Mt 19.29).

Com essa palavra de convocação, Jesus se tornou Rei. A vida como os discípulos a conheciam foi unida à vida de Jesus. Não é de admirar que a ordem "siga-me" seja considerada maldição pelo mundo e por aqueles que amam o mundo. Ouvem-na e pensam em todas as coisas cintilantes que terão de deixar para trás. E estão certos. Ou Jesus é Senhor ou não é nada. Se, em algum momento, você crer que "Jesus *e* alguma outra coisa" é uma possibilidade viável, você escolheu o caminho largo. Como Rei, ele é digno de toda a nossa lealdade e, como Salvador, ele nos livrou do pecado e, portanto, das mentiras que nos impedem de ver a escolha de deixar tudo como o caminho da alegria.

Paulo descobriu essa verdade em sua vida. Depois de deixar as coisas cintilantes, percebeu que eram todas sem valor

ao compará-las com Aquele pelo qual ele as abandonou. "Sim, todas as outras coisas são insignificantes comparadas ao ganho inestimável de conhecer a Cristo Jesus, meu Senhor", ele escreveu (Fp 3.8). Colocado lado a lado com Jesus, o mundo é bem mais sem graça do que pensávamos. Menos interessante do que nossos elogios a seu respeito o faziam parecer. Em contrapartida, quando comparamos qualquer coisa com Jesus, a glória dele sempre vence. Portanto, não importa o que seja seu "tudo", deixe-o e siga o Rei.

DIA 51

Esforce-se sempre para receber a aprovação do Deus a quem você serve. Seja um bom trabalhador, que não tem de que se envergonhar e que ensina corretamente a palavra da verdade.

2TIMÓTEO 2.15

TIAGO DISSE ALGO SÁBIO, porém desanimador: "Não sejam muitos de vocês mestres" (Tg 3.1). A meu ver, da perspectiva de qualquer um que ama as Escrituras, ensinar é uma ocupação gratificante. Abrir o texto em um púlpito ou em uma sala de estar, discernir seu significado e aplicá-lo a fim de "preparar o povo santo para realizar sua obra e edificar o corpo de Cristo" (Ef 4.12). Essa aptidão é um dom e uma graça e, para alguns, uma vocação.

Voltemos, portanto, ao início. Se o mestre é bom e necessário, se a ele são concedidos graça e dom, por que não convém que muitos se tornem mestres? O final do versículo dá a resposta: "Meus irmãos, não sejam muitos de vocês mestres, pois nós, os que ensinamos, seremos julgados com mais rigor" (Tg 3.1). É possível que Tiago tivesse em mente membros da congregação que almejavam ensinar não porque desejassem capacitar os santos, mas porque ambicionavam a honra que acompanha o ensino. O mestre da doutrina cristã era, em certo sentido, a reconceituação do rabino judeu. A elite venerada constituída dos mestres da lei explicava a glória e a recebia. Por vezes, esses mestres o fizeram em detrimento próprio, pois "amaram a aprovação das pessoas mais que a aprovação de Deus" (Jo 12.43). Um membro ambicioso da igreja cria uma estratégia para receber glória ao imitar um dom que não tem ou prostituir os dons que tem.

Parece-me que hoje, mais do que nunca, essa busca infernal por projeção é feita com maior facilidade. Olhe ao redor e veja todas as opções, fora de uma congregação local, que deveriam ter sistemas definidos para treinar e/ou refrear a prática desse dom. Com a internet, porém, só é preciso ter telefone e boca para ensinar. Se é mais fácil se tornar "mestre" do que no passado, significa que também há mais pessoas que comparecerão diante do Santo e ouvirão um julgamento para o qual não estavam preparadas. Isso inclui não apenas os pregadores das redes sociais, mas também os líderes de estudo bíblico, os professores de seminário e os professores de escola dominical. Cada espaço é elaborado de forma que alguém seja considerado mestre, e Tiago deseja que os santos saibam: *Talvez não seja isso que vocês queiram.* A intenção não é inspirar medo; é produzir reverência.

Dito isso, não importa com quais dons fomos agraciados, se ensinamos, temos de levar a sério a advertência do irmão de Jesus. Se exercemos outro dom, temos de orar pelos mestres que conhecemos e pelos mestres que ambicionam ser conhecidos. Em nome de Jesus. Amém.

DIA 52

Tem misericórdia de mim, ó Deus,
por causa do teu amor.
Por causa da tua grande compaixão,
apaga as manchas de minha rebeldia.
Lava-me de toda a minha culpa,
purifica-me do meu pecado. [...]
Pequei contra ti, somente contra ti;
fiz o que é mau aos teus olhos. [...]
Pois sou pecador desde que nasci,
sim, desde que minha mãe me concebeu. [...]
Cria em mim, ó Deus, um coração puro;
renova dentro de mim um espírito firme. [...]
O sacrifício que desejas é um espírito quebrantado;
não rejeitarás um coração humilde e arrependido.

SALMOS 51.1-2,4-5,10,17

DEPOIS QUE DAVI PECOU com Bate-Seba, ele expressou arrependimento em forma de cântico, registrado no salmo 51. Um versículo memorável, para o qual Fred Hammond escreveu uma melodia em órgão, foi o pedido de Davi para que Deus criasse nele um coração puro. Depois que Davi foi confrontado por Natã e recebeu contrição do Espírito, encontrou refúgio na verdade a respeito de quem ele era e o que isso significava. "Pois sou pecador desde que nasci, sim, desde que minha mãe me concebeu" (Sl 51.5).

O comportamento de Davi tinha um motivo. O pecado com o qual ele havia nascido o levou a ver Bate-Seba apenas como objeto e não como portadora da imagem divina. A escolher lascívia em vez de legado. A desonrar o Senhor dos Exércitos que tinha poder para lhe dar vitória no terraço (se ele houvesse pedido) como tinha lhe dado vitória no campo com uma funda e pedras.

Esse tipo de autoconsciência promove arrependimento. Se o pecado fosse de outra pessoa, então o culpado não seria verdadeiramente culpado. Como Adão, que apontou para Deus como se ele fosse o culpado por sua fé no diabo: "Foi a mulher que me deste! Ela me ofereceu do fruto, e eu comi" (Gn 3.12). Davi, por sua vez, entende, como acontece com frequência com o santo contrito, que "em mim, isto é, em minha natureza humana, não há nada de bom" (Rm 7.18). O pecado era dele, endêmico a sua natureza.

Preste atenção. Esse grau de confissão e escrutínio é uma espécie de convite para a serpente, para o ardiloso. Quando ele vê que você se conhece, coloca em sua mente uma ideia: quem e o que você é no momento é quem e o que você sempre

será. O que começou como introspecção saudável se transforma em interesse desmedido em nós mesmos em lugar de no Filho de Deus. A meditação de nosso coração passa a girar em torno de nosso fracasso e não da fidelidade de Cristo. De nossas fraquezas e não da força de Cristo. Só conseguimos enxergar a vergonha que sentimos. E a consequência da veneração à vergonha é que ela gera mais pecado. Simplesmente porque a vergonha não nos salva. Jesus é nosso Salvador.

Se esse é o caso (e é!), precisamos dar ouvidos à advertência de Hebreus, que nos instrui a olhar, fitar, manter os olhos fixos em Jesus. Aquele que, a propósito, é o Criador de todas as coisas, o que inclui você. Sim, você, pecador desde que nasceu. Você que não tem nenhum bem dentro de si. Davi, em seu arrependimento, pediu a Deus que realizasse um milagre nele. Se Deus criasse um novo coração em Davi, ele seria um novo homem. A intensa autoconsciência poderia ter se transformado em vergonha egocêntrica; em vez disso, porém, abriu a porta para uma petição voltada para Deus. Davi sabia que, se ele era tão pecador quanto tinha consciência de que era, somente Deus podia transformá-lo naquilo que ele precisava ser. Nossa esperança, portanto, não se encontra dentro de nós, mas diante de nós, em Cristo, que faz novas todas as coisas, inclusive nosso coração.

DIA 53

Apeguemo-nos firmemente, sem vacilar, à esperança que professamos, porque Deus é fiel para cumprir sua promessa.

HEBREUS 10.23

O CINISMO É FÁCIL. Não é preciso esforço para ver o que há de errado com tudo e com todos e deixar que isso nos canse. A esperança, porém, é difícil. Talvez porque é celestial. A terra nos deixou um tanto desgastados. Insinuou para nós, por meio de coisas como abandono e expectativas frustradas, que a esperança não é diferente de ilusões otimistas. No entanto, a esperança é mais que isso. Um livro proveitoso explica: "A esperança nos permite continuar a viver. Dá uma medida de percepção de que as coisas vão melhorar. A vida vai melhorar, e os problemas que nos assediam chegarão a um ponto de resolução".[10]

Talvez mesmo agora, depois de ler essa frase, alguns tenham aberto um sorriso amargurado, como os céticos em que a terra os transformou. Tenho certeza de que esse foi o motivo pelo qual o apóstolo Paulo não apenas recomendou a esperança, mas orou para que fosse transbordante na igreja. "Que Deus, a fonte de esperança, os encha inteiramente de alegria e paz, em vista da fé que vocês depositam nele, de modo que vocês transbordem de esperança, pelo poder do Espírito Santo" (Rm 15.13). Quem é a fonte? Deus. Por meio de que poder? Do Espírito Santo, que nos ajuda a transbordar de esperança.

Creio que é prudente reconhecer a existência da guerra espiritual mesmo em discussões sobre esperança. Somente o diabo, que não tem nenhuma esperança, influenciaria os santos — remidos de Deus, unidos com Cristo e vivificados por seu Espírito — a crer que *eles* não têm esperança. Que não há vida copiosa a ser vivida. Que nada muda, cresce ou se transforma. Se o túmulo não estivesse vazio, os desesperados seriam realistas. "E, se Cristo não ressuscitou, a fé que vocês têm é inútil, e vocês ainda estão em seus pecados. Nesse caso, todos que adormeceram crendo em Cristo estão perdidos! Se nossa esperança em Cristo vale apenas para esta vida, somos os mais dignos de pena em todo o mundo" (1Co 15.17-19). Se vivêssemos aqui neste mundo, com todas as suas mazelas e angústias, e se não houvesse *nada mais*. Se não houvesse ruas de ouro e "santo, santo, santo". Nem corpos glorificados em uma cidade sem lâmpadas, mas cheia de luz. Nem vindicação sobre os perversos, entre eles os que prejudicaram nossos desejos, pisotearam nossas expectativas e, com isso, tornaram

difícil ter esperança em qualquer coisa boa. Se não houvesse nada mais, a esperança seria a língua dos tolos.

Felizmente, porém, a esperança não é a língua dos tolos. Felizmente, é a força dos sábios. Portanto, rejeitamos o maligno e suas mentiras. Para isso, alegramo-nos na esperança (Rm 12.12), pois, ao fazê-lo, cremos que "essa esperança não nos decepcionará, pois sabemos quanto Deus nos ama, uma vez que ele nos deu o Espírito Santo para nos encher o coração com seu amor" (Rm 5.5). E nossa esperança — a saber, nossa esperança em Cristo — não é ilusão otimista; antes, fortalece os fracos e cria águias na terra: "Mas os que confiam no SENHOR renovam suas forças; voam alto, como águias. Correm e não se cansam, caminham e não desfalecem" (Is 40.31).

DIA 54

"Fortalecerei Judá e livrarei Israel;
eu os restaurarei, porque tenho compaixão deles. [...]
eu sou o Senhor, seu Deus,
e ouvirei seus clamores".

ZACARIAS 10.6

JÁ ACONTECEU DE DEUS permitir em sua vida uma circunstância que desanimou você a ponto de parecer natural pensar o pior de Deus? Imaginar que ele não é bom? Que ele não se importa?

Essas ideias e esse desânimo não são novidade. Quando a serpente confrontou Eva no jardim, colocou em dúvida não apenas a Palavra de Deus, mas também a natureza de Deus. Enganou Eva ao dizer que ela podia comer do fruto da árvore, pois "Deus sabe que, no momento em que comerem do fruto, seus olhos se abrirão e, como Deus, conhecerão o bem e o mal" (Gn 3.5). Como se Deus estivesse retendo algo bom de Eva. Quando, na realidade, suas restrições eram proteção.

Pense em Cristo. Quando Jesus estava no deserto, depois de jejuar durante quarenta dias e quarenta noites, o diabo veio e lhe disse: “Se você é o Filho de Deus, ordene que essas pedras se transformem em pães” (Mt 4.3). Se você é o Filho de Deus, por que está passando fome? Use seu poder divino para prover alimento para si, pois seu Pai não o fez. O diabo tentou Jesus com a estratégia que havia funcionado com Eva. Tentou o Filho de Deus a duvidar do cuidado de Deus.

E, por vezes, esse tom acusador não vem diretamente da boca do diabo. Vem por meio daqueles que ele influenciou e tentou, daqueles que, sem saber, operam conforme sua lógica. Os discípulos estavam em um barco ameaçado pela violência das ondas. Jesus dormia na parte de trás do barco. Os discípulos foram acordá-lo não com petições, mas com acusações: “Mestre, vamos morrer! O senhor não se importa?” (Mc 4.38). Que pergunta! Ele veio à terra única e exclusivamente porque se importava. “Porque Deus amou tanto o mundo que deu seu Filho único, para que todo o que nele crer não pereça, mas tenha a vida eterna” (Jo 3.16). Ele não se importa apenas com sua alma; também se importa com suas preocupações. Todas aquelas ansiedades que lhe tiram o sono. Por intermédio de palavras de Pedro, o Espírito de Deus disse: “Entreguem-[me] todas as suas ansiedades, pois [eu cuido] de vocês” (1Pe 5.7, adaptado). Não apenas amor, mas também cuidado.

E é disso que a carne e o diabo, por meio do desânimo, tentarão nos fazer duvidar. Querem nos levar a crer que o Deus

que morreu por nós não se importa verdadeiramente conosco. Desejo exortar você com esta verdade: o diabo é mentiroso. Se há um ser que não se importa com você, é ele. Mas, seu Senhor, seu Deus, ama você com amor eterno. Ele é "Javé! O SENHOR! O Deus de compaixão e misericórdia!" (Êx 34.6).

DIA 55

"Vocês receberão poder quando o Espírito Santo
descer sobre vocês."

ATOS 1.8

ANTES DE JESUS SUBIR ao Pai, ele prometeu um Encorajador (Jo 15.26). Pouco tempo depois, os discípulos estavam todos reunidos em um só lugar. Do céu, veio um som como um poderoso vendaval. Sobre cada um pousou algo. Era semelhante a línguas de fogo. E houve um preenchimento. O Espírito se manifestou, como Jesus disse que ele faz: "O vento sopra onde quer. Assim como você ouve o vento, mas não é capaz de dizer de onde ele vem nem para onde vai, também é incapaz de explicar como as pessoas nascem do Espírito" (Jo 3.8).

Depois que os discípulos foram preenchidos, não correram. Não gritaram. Nem mesmo choraram. Começaram a falar. De cada boca veio outro idioma. Enquanto as frases fluíam, línguas de nações que não eram deles enchiam o ar. As maravilhas de Deus tinham som, e uma diversidade de ouvidos as ouviu. Não temos tempo para as controvérsias doutrinárias que surgem de textos como esse. Discussões que nos fazem bocejar e que deixam passar as glórias específicas. Tiago, por exemplo, disse: "A língua é uma chama de fogo [...]. O ser humano consegue domar toda espécie de animal, ave, réptil e peixe, mas ninguém consegue domar a língua. Ela é incontrolável e perversa, cheia de veneno mortífero" (Tg 3.6-8). E, no entanto, nesse lugar, com essas pessoas reunidas, vemos o Espírito Santo domar o que é indomável. Língua de fogo que concede vida celestial em lugar de veneno terreno. Como um cão com coleira e guia, um navio com leme, um cavalo com freio, a língua encontrou seu Senhor quando o Espírito Santo encheu o ambiente.

Uma manhã dessas, você não terá descansado tanto quanto queria e não terá recebido a energia que considerava necessária, e quando isso acontecer a língua se tornará como um fósforo e a natureza carnal, como uma chama de fogo. Talvez seja na semana que vem, quando alguém, não importa quem, tentar você a se esquecer do céu, apagar a chama e contemplar a fumaça. Trate o silêncio como uma oferta queimada. A resposta branda como adoração. Nada disso é possível se o vento não vier.

A única forma de controlar o incontrolável é sermos preenchidos com Poder que não é nosso. O Espírito Santo. E, quando ele chega e bocas se abrem, o som é de alegria e paz, paciência e amabilidade, domínio próprio e bondade, fidelidade e amor. O Espírito pode nos capacitar para que nossas palavras sejam tudo o que ele é.

DIA 56

Agora nós mesmos somos como vasos frágeis de barro que contêm esse grande tesouro. Assim, fica evidente que esse grande poder vem de Deus, e não de nós.

2CORÍNTIOS 4.7

TODO SANTO DIA ACONTECE algo que nos lembra de nossa fragilidade. Alguns de nós amanhecem com fardos incontáveis. Alguma vez você dormiu, mas não descansou? Acordou com o corpo pesado? Já aconteceu de falarem com você e sobre você de uma forma que não agrada a Deus, só porque você se agrada dele? Quando alguém declara guerra ao reino das trevas, os escravos desse reino se levantam para defendê-lo por todos os meios necessários. Por vezes, isso nos desgasta. Que sensação desagradável saber que uma pessoa nos odeia porque nós a amamos.

Além da hostilidade que experimentamos daqueles que são, em última análise, cidadãos deste mundo, uma infinidade de coisas pode revelar nossas fraquezas e as limitações de nossa humanidade. Aflições assumem várias formas. Um dia, a morte chama alguém que amamos, alguém que não queríamos que partisse. Outro dia, o corpo começa a se deteriorar, um pouco de cada vez, não glorificado no presente, mas não para sempre. Na semana seguinte, o maná chega ao fim, o desemprego bate à porta, a economia se desintegra, o marido vai embora, a esposa divaga em mil pensamentos. Se essas tribulações acontecem todas de uma vez, clamamos para sermos libertos deste lugar. Talvez já o tenhamos feito, e Deus tenha respondido: "Ainda não". Qualquer que seja o caso, a terra não é o céu, como temos plena consciência.

Mas, sabe de uma coisa? Também não é o inferno. Há uma glória maior, uma luz que brilha, um Rei bom e um Salvador maravilhoso que nos resgatou. Ele nos deu poder de pisar serpentes e negar a carne. Alguns dias, ainda sofremos. Outros dias, ajudamos a curar os sofredores. Não é incrível ter poder e fraqueza no mesmo corpo? É assim que funciona.

O apóstolo disse:

> De todos os lados somos pressionados por aflições, mas não esmagados. Ficamos perplexos, mas não desesperados. Somos perseguidos, mas não abandonados. Somos derrubados, mas não destruídos. Pelo sofrimento, nosso corpo continua a participar da morte de Jesus, para que a vida de Jesus também se manifeste em nosso corpo.
>
> 2Coríntios 4.8-10

Vasos de barro racham com facilidade. Mas, quando o fazem, tornam visível seu conteúdo. Toda a glória seja ao Deus todo-poderoso, pois, mesmo quando rachamos, não quebramos.

DIA 57

Se formos infiéis, ele permanecerá fiel,
pois não pode negar a si mesmo.

2TIMÓTEO 2.13

DEPOIS QUE MIRIÃ VOLTOU para Deus em Números 20, o povo se queixou novamente. Mais uma vez, em razão de água. Pouco antes, em Êxodo 17, a sede já os havia deixado contrariados. Criaram caso porque não tinham água. Moisés clamou ao Deus desse povo, e Deus respondeu com uma ordem simples: *bata* na rocha (v. 6). Moisés lhe obedeceu. A água jorrou e saciou uma nação inteira.

Como se fosse tradição Israel esquecer Deus quando tinha sede, seria de esperar que Números 20 tivesse o mesmo desfecho que Êxodo 17. Duas histórias diferentes com os mesmos personagens. Dessa vez, porém, quando o povo se queixou, Moisés não clamou. Uma distinção importante, pois deixa implícito que Moisés não suplicou. Não invocou o Deus de seu coração para que o enchesse antes de ele saciar outros.

Esquecemos o Moisés que conhecemos no Egito em Êxodo 2. O Moisés que agiu por contra própria e matou um homem, como se desejasse ser mediador na carne (Êx 2.11-15). Esse Moisés de Êxodo 2 ainda estava presente no Moisés de Êxodo 17, mas o que controlava o homem e toda a fúria que o acompanhava era a oração. Conte quantas vezes nas Escrituras você vê as palavras "clamou ao Senhor" ao lado do nome de Moisés e o desfecho dessa história fará perfeito sentido. *Dessa vez,* quando o povo se queixou, o Moisés de Números 20 talvez tenha se prostrado diante do Senhor, mas não abriu a boca. Deus falou primeiro: "Você e Arão peguem a vara e reúnam todo o povo. Enquanto eles observam, *falem àquela rocha ali,* e dela jorrará água. Vocês tirarão água suficiente da rocha para matar a sede de toda a comunidade e de seus animais" (Nm 20.8, grifos meus).

Moisés pega a vara, reúne o povo e, pela primeira vez nessa narrativa, Moisés fala. Não *fala* à rocha, mas ao povo: "Ouçam, seus rebeldes! [...] Será que é desta rocha que teremos de tirar água para vocês?" (Nm 20.10). São palavras de um homem que se prostrou diante de Deus, mas se levantou sem fazer sua petição (Nm 20.6). Nessa fúria arrogante, Moisés pega a vara e bate na rocha não uma vez, mas duas. A ira nunca se acalma facilmente.

Embora Moisés desobedeça à ordem de Deus ao bater na pedra em vez de lhe falar, água ainda jorra copiosamente. Isso significa que, se Deus decide abençoar seu povo, os pecados do líder não são empecilho para a graça divina. Também

significa que houve — e, muito provavelmente, haverá — ocasiões em que apenas imitamos obediência. Pegamos a vara, aproximamo-nos da rocha, mas batemos nela em vez de lhe falar. Ainda assim, a água jorrou. Esse episódio lembra que, se Deus escolher abençoar seu povo, ele o fará apesar de nossa desobediência. Sua misericórdia para com os outros nunca dependeu de nossa perfeição. O povo de Deus recebeu água não em virtude de algo que Moisés fez ou deixou de fazer, mas porque Deus é fiel.

Essa é a beleza da história. Deus é fiel em suprir as necessidades de seu povo. Mas, não se engane. Ele também é fiel em disciplinar a desobediência de seus líderes. As palavras de Paulo se aplicam: "Disciplino meu corpo como um atleta, treinando-o para fazer o que deve, de modo que, depois de ter pregado a outros, eu mesmo não seja desqualificado" (1Co 9.27). A única esperança do rebanho *e* do líder é a fidelidade de Deus.

DIA 58

"Mas, quando orarem, cada um vá para seu quarto,
feche a porta e ore a seu Pai, em segredo."

MATEUS 6.6

ESCOLHA UM EVANGELHO, talvez Lucas ou Marcos, leia-o de uma vez só e observe o ritmo da vida de Jesus. Desde o instante em que transformou água em outra coisa, ele se viu atarefado. Libertava corpos escravizados por demônios dentro deles. Curava enfermos que sofriam de febre, lepra, cegueira e coração cheio de trevas. Entre uma coisa e outra, e aproveitando as deixas, ele pregava. A respeito de si mesmo, o Ungido. A respeito do Pai, aquele que o enviou. E, preste atenção: nada disso foi em apenas uma cidade. Esteve em Nazaré, Caná, Cesareia de Filipe, Betânia, Cafarnaum. Em seu ministério itinerante, percorria os trajetos a pé. Com o tempo, o Deus viajante se tornou conhecido por muitos em virtude da beleza — e da controvérsia — que levava aonde ia.

Com tudo isso em mente, versículos como este são impressionantes: "Mas as notícias a seu respeito se espalhavam ainda mais, e grandes multidões vinham para ouvi-lo e para ser curadas de suas enfermidades. Ele, porém, se retirava para lugares isolados, a fim de orar" (Lc 5.15-16). Jesus abandonava temporariamente o trabalho para estar com Deus.

Se Jesus fosse missionário em nossos dias, é possível que alguns o incentivassem a fazer o contrário. Claro que nem pensariam em sugerir que não orasse. Afinal, uma coisa dessas não é cristã, não é mesmo? Mas o que fariam, como fazem com qualquer um que exerce o ministério cristão, seria impor sobre ele exigências, expectativas e pressões que priorizam o trabalho acima da intimidade necessária para realizá-lo.

Quantos de nós, de tão atarefados em nome de Jesus, abandonamos Jesus? Estamos tão ocupados organizando aqui, fazendo serviço voluntário ali, escrevendo, lecionando, encontrando amigos, comparecendo a eventos, trocando fraldas e dando atenção a nossos mentorados que não temos poder nem alegria para ser como Jesus em tudo o que fazemos. E não deixe passar despercebido o que o texto mostra: "Grandes multidões vinham para ouvi-lo e para ser curadas de suas enfermidades". Em outras palavras, havia infindáveis oportunidades de Cristo suprir necessidades legítimas das pessoas.

Mas ele não podia permitir que essas necessidades influenciassem seu tempo mais do que a intimidade com seu Pai. O Cristo que nos instruiu a permanecer nele permanecia no Pai. O Cristo que ensinou seus discípulos a orar orava ao Pai. O Senhor do sábado literalmente descansava no Pai. Um pastor

escreve: "É possível desenvolver uma argumentação convincente de que Jesus, plenamente humano, só pôde viver como viveu em razão do tempo e da energia constantes que ele dedicava a estar com o Pai em oração".[11]

Deus nos chamou a fazer muitas coisas. É um privilégio trabalhar em sua colheita sobejante, mas é preciso haver tempo dedicado e ritmos formados para nos afastar das multidões. Para encontrar um lugar isolado e não fazer nada além de orar.

DIA 59

Vejam como é grande o amor do Pai por nós,
pois ele nos chama de filhos, o que de fato somos!

1JOÃO 3.1

DEUS AMA VOCÊ. Ouvimos essas palavras com tanta frequência que talvez elas tenham perdido o sentido. Não nos maravilhamos com elas como antes. Todo mundo usa o mesmo verbo para expressar gosto por algo: "Amo esta cor", "Amo esta música", "Amo este livro". Talvez pelo fato de esse termo ser usado por tantos seres humanos, imaginamos que o Ser divino o emprega com o mesmo sentido. Mas não é o caso e nunca será.

O amor de Deus é transcendente e santo. É inimaginável. Só temos esse conceito porque Deus existe. "O amor vem de Deus" e "Deus é amor" (1Jo 4.7-8). O verbo aparece pela primeira vez nas Escrituras quando Deus testa Abraão e lhe diz: "Tome seu filho, seu único filho, Isaque, a quem você tanto ama" (Gn 22.2). Prefigura, evidentemente, as palavras de Jesus a Nicodemos: "Porque Deus amou tanto o mundo que deu seu Filho único, para que todo o que nele crer não pereça, mas tenha a vida eterna" (Jo 3.16).

O amor de Deus ultrapassa qualquer amor que conheçamos. Quer prova disso? O amor de Deus é mais que palavras. Palavras são fáceis. Um conjunto de letras às quais atribuímos significado e que atiramos para o alto feito confete. Dizemos coisas que não pensamos e pensamos coisas que não dizemos. No caso de Deus, porém, suas palavras sempre correspondem a suas intenções e a sua natureza: "O mesmo acontece à minha palavra: eu a envio, e ela sempre produz frutos. Ela fará o que desejo e prosperará aonde quer que eu a enviar" (Is 55.11). Deus nos amou em palavras e atos e provou seu amor ao sacrificar Aquele a quem ele sempre amou. "Mas Deus nos prova seu grande amor ao enviar Cristo para morrer por nós quando ainda éramos pecadores" (Rm 5.8).

Pense com calma nessa palavra: *pecadores*. Pessoas que, desde o nascimento, se opõem ao amor e à lei de Deus. À luz e à vida de Deus. Nenhum pecador merece o amor de Deus da forma que ele o provou, mas o recebemos mesmo assim. Por certo, é graça. É graça *e* amor.

Ainda assim, talvez você esteja pensando, mas não queira dizer em voz alta, que já sabe de tudo isso. Sabe do amor que levou ao sacrifício do Filho pelos pecadores. Mesmo que você saiba do amor de Deus, porém, quão profundo é esse saber? Você sabe que ele transcende o saber? Sabe que

tem largura, comprimento, altura e profundidade que, em comunhão com todos os santos, preenche você com a plenitude de Deus (Ef 3.18-20)? Há uma diferença entre saber do amor de Deus e *conhecer* o amor de Deus. A boa notícia é esta: quer você conheça esse amor quer não, ainda assim Deus ama você.

DIA 60

Pois quem é Deus, senão o SENHOR?
Quem é rocha firme, senão o nosso Deus?

SALMOS 18.31

TODOS OS DIAS, PRESTAMOS CULTO. Nem sempre, contudo, o objeto de nossa adoração é o mesmo. Por vezes, construímos um altar e oferecemos sacrifícios a um deus diferente do Deus que fez os céus e a terra. Pode ser nosso trabalho, ou uma pessoa. Pode ser uma cosmovisão que os apóstolos não aprovariam. Pode ser uma mentira na qual estamos viciados.

O Deus verdadeiro, Criador de todas as coisas, ainda é misericordioso. Sabe que tudo o que existe além dele não passa de areia. Movediça, alterável. Fluida como os oceanos. Mutável como nós. Nada é estável. Emprego, família, fama, prestígio, corpo — nada é tão sólido quanto parece. Não podemos construir sobre esses alicerces e esperar estabilidade. "Mas quem ouve meu ensino e não o pratica é tão tolo como a pessoa que constrói sua casa sobre a areia. Quando vierem as chuvas e as inundações e os ventos castigarem a casa, ela cairá com grande estrondo" (Mt 7.26-27). É nesse ponto que devemos parar e refletir sobre a misericórdia do sofrimento. Tribulações são como a mão pesada de Deus que sacode nossos pequenos reinos sem pedir permissão. O sofrimento peneira e santifica ao revelar a insuficiência das coisas criadas nas quais depositamos nossa confiança e, ao mesmo tempo, mostrar onde há incredulidade. O alicerce se move. É desconcertante descobrir que o chão debaixo de nossos pés não é sólido o suficiente para nos sustentar. Nossos problemas — mais que isso, nossos pecados — são pesados demais para ser escorados pelas coisas do mundo.

Felizmente é assim. A destruição de um reino falso é graça de Deus em ação. Como sei disso? Quando tudo desmorona, quando todos os tronos que construímos em nossa vida se transformam em areia, como sempre foram, adivinhe quem permanecerá de pé? O Rei da glória. O Deus imutável, firme e sempre fiel. Que outro motivo o salmista teria para chamá-lo repetidamente de "rocha", "torre forte" e "refúgio"? Nele, e somente nele, há estabilidade eterna. Nele, ingressamos em um reino que não pode ser abalado. Quando vieram as chuvas e sopraram os ventos, a casa permaneceu. Por isso o hinista escreveu:

Em nada ponho a minha fé
senão na graça de Jesus,
no sacrifício remidor,
no sangue do meu Redentor.

A minha fé e o meu amor
estão firmados no Senhor,
estão firmados no Senhor.[12]

Ao amanhecer, entoe esse cântico em alta voz. Quando a noite chegar, cante de novo. Lembre-se da Rocha. Somente em Cristo jamais seremos abalados.

NOTAS

[1]C. S. Lewis, "Reflections: Half-Hearted Creatures", C. S. Lewis Institute, novembro de 2008, <https://www.cslewisinstitute.org/resources/reflections-november-2008>.

[2]Rich Villodas, *Deeply Formed Life: Five Transformative Values to Root Us in the Way of Jesus* (Colorado Springs: WaterBrook, 2021), p. 59.

[3]Elie Wiesel, *Night* (Nova York: Hill and Wang, 2006), p. 68. [No Brasil, *A noite*. Rio de Janeiro: Ediouro, 2006.]

[4]C. S. Lewis, *The Weight of Glory* (San Francisco: HarperOne, 2001), p. 46. [No Brasil, *O peso da glória*. Rio de Janeiro: Thomas Nelson Brasil, 2017.]

[5]Hannah Anderson, *All That's Good: Recovering the Lost Art of Discernment* (Chicago, IL: Moody Publishers, 2018), p. 128.

[6]*KJV Spurgeon Study Bible* (Nashville: Holman Bible, 2018), p. 25.

[7]James R. Edwards, *The Gospel According to Mark* (Grand Rapids: Eerdmans, 2002). [No Brasil, *O comentário de Marcos*. São Paulo: Vida Nova, 2018.]

[8]Tim Keller, *Every Good Endeavor: Connecting Your Work to God's Work* (New York: Penguin Books, 2014), p. 338. [No Brasil, *Como integrar fé e trabalho: Nossa profissão a serviço do reino de Deus*. São Paulo: Vida Nova, 2014.]

[9]Anne Trafton, "An Unforgettable Life", MIT News, 14 de maio de 2013, <https://news.mit.edu/2013/suzanne-corkinpermanent-present-tense-0514>.

[10]Dan Allender e Tremper Longman, *The Cry of the Soul: How Our Emotions Reveal Our Deepest Questions about God* (Colorado Springs: NavPress, 2015), p. 167.

[11]Villodas, *Deeply Formed Life*, p. 45.

[12]"Firmeza", hino 366 do *Cantor Cristão*. Traduzido por Francisco Caetano Borges da Silva, com base em original de Edward Mote, "My Hope Is Built on Nothing Less".

SOBRE A AUTORA

JACKIE HILL PERRY é autora, poetisa, professora bíblica e artista. Desde que se tornou cristã, tem sido compelida a usar seus dons de falar e ensinar a fim de compartilhar a luz do evangelho de Deus da maneira mais autêntica possível. Em casa, é esposa de Preston e mãe de Eden, Autumn e Sage.

Compartilhe suas impressões de leitura,
mencionando o título da obra, pelo e-mail
opiniao-do-leitor@mundocristao.com.br
ou por nossas redes sociais

Esta obra foi composta com tipografia Iowan Old Style
e impressa em papel Offwhite Snowbrite 70 g/m² na gráfica Santa Marta